# メキシコ・地人巡礼

小林孝信

現代書館

# プロローグ

細長い日本の東側、太平洋をひとまたぎすれば、日本の南部とメキシコの北部が重なります。ふたつの土地は歴史的にまったく異なる歩み方をしてきました。かの地は植民地時代を経験しながらも欧米強国の侵略に抵抗し、また国内的には多くの先住民族と移住民族集団からなる多民族国家を形成、日本とはまったく違う歴史を持った国です。

ところが共通点もあり、特にそれはアメリカ合州国*との関係に現れます。

一九世紀から二〇世紀にかけてこの世界最強国家に軍事力で楯突き、そして敗れ、結局その強大な影響力から抜け出せないでいる、太平洋の東西に位置する似たものどうしの国なのです。「メキシコは長い国境を持つので、まったく違うのでは？」との声もあるでしょう。確かにメキシコとアメリカの国境は約三〇〇〇キロにも及び、島国日本に地上の国境はありません。ただ、沖縄を中心に日本国内各地に何百とある米軍基地と関連施設を「米国」とみなせば、おそらくその境界は何百キロにも及ぶのでしょう。メキシコには米軍基地はありませんので、少なくとも外交・軍事的には日本よりは独立性が高そうです。

私がこのメキシコに初めて足を踏み入れたのは一九七九年、当時三〇歳のことでした。一九七一年にスタートし現在も続けられている両国政府間の交換留学・研修制度によって一年間ほど居住。青春の思い出がいっぱい詰まったこの懐かしい国に、二〇一四年、三五年ぶりに再訪する機会を得ました。もともと私は海外技術者研修協会（ＡＯＴＳ）に勤め、日本で研修する外国人技術者たちの導入教育部分を担当していました。研修生の多くはアジア、アフリカ、ラテンアメリカからの参加で、その中にはメキシコ人の技術者もたくさんいました。今回の来墨（メキシコを漢字で表すと墨西哥、略が墨《ぼく》となります）では、私の留学時の旧友たち、そして日本で研修を積んだ仲間たちと再び出会うのも大きな目的です。

メキシコの友人たちからは以前から何度も再訪や日本語教育ボランティアを提案されていました。ただ、定年退職後も地元での社会活動やＮＰＯなどへの協力などで、長期に日本を離れる決断がつきませんでした。

キッカケは二〇一一年三月の東日本大震災に伴う東京電力福島第一原子力発電所の事故でした。地元である松戸などの千葉県北西部は福島県の浜通りに位置する南相馬市の北部やいわき市の南部より高い大気中の放射線量が観測されました。事故現場から二〇〇キロ以上離れた地点も安全ではなかったのです。

直後から友人たちと被災地支援に微力ながらかかわってきました。その中で、自分の経験を活かし、あまり取り組まれていない面での協力はできないものかとも考えていました。

二〇一三年、安倍首相は国際オリンピック委員会（ＩＯＣ）総会でこう言いました。

「フクシマについて、お案じの向きには、私から保証をいたします。状況は統御されています」

二〇二〇年東京オリンピック・パラリンピックを招致するためのいわゆる「アンダーコントロール宣言」です。しかし、日本は未だに原子力緊急事態宣言下にあり、首相の発言は明らかな嘘です。避難指示は続き、汚染水もとまっていません。この世界に対する嘘をあばき、世界の人々に原発事故の恐怖の真実を少しでも伝えたいと考えました。

私にとって親しみのある国々は多いのですが、留学経験があるのはメキシコだけでした。日本語教育の中で原発事故を教材にして現実を知ってもらおうと思いたったのです。

この間のメキシコの変化は劇的です。どの街も市街地が肥大化。国の総人口が二倍近くになり、ツーリズムが進んだ山村では、人口一〇〇〇人が三〇〇〇人に、三〇〇〇人が一万人近くになる地域もあります。日本の一九四五年から二度のベビーブームを経た三～四〇年間の変化と似ていることに気づかされます。

街を見渡しても歩行者の服装、雰囲気、喫煙状況の変化も、インターネット普及に伴う社会の変化も一目瞭然です。前かがみでケータイに見入る人、歩きながらスマホで話し続ける人、そこら中に展開する電子機器店、ネット・カフェにＡＴＭなどなど。世界同時多発的な変化で驚くに当たらないようでも、かつては固定電話のない家庭も多くやはり隔世の感です。他方で、変わっていないことも多いのです。地域開発や近代建築群の外観から、ミニ電子機器までハード面は変わりましたが、人々の心情・考え方などソフト面はそれほどでもないようです。

今回は多くの再会がありました。お互いの変貌ぶりを発見しつつ、懐かしい人と土地に触れ、再生の力を旧知の人々から受けました。再会は自らの再生への元気づけネクターなのです。また、原発事故で被曝した「フクシマ」の教訓をメキシコの人に少しでも伝えたいという私の願いを、彼らがよく理解し協力してくれました。メキシコ各地を回り、即席の「フクシマ講座」を開きました。若い人たちが真剣に耳を傾け、トークのあとにも多くの人が質問に来てくれました。

講座以外の場でも、再会だけでなくさまざまな出会いがありました。厳しい学業環境の学生だけでなく、一般の人々の多くも経済状況に必ずしも恵まれていません。ただ人々は淡々としつつもピリッとした雰囲気の中で、それぞれの思いを語り、温かく接してくれ、私自身とても鼓舞される思いでした。旅先でちょっとだけ声を交わした人、道案内を丁寧にしてくれた人など、再会で得た体験とはまた別の感動を与えてくれました。個性と個性が文化、発想、習慣やおかれた状態の違いにかかわらず、心の一端でもふれあうことの大切さをあらためて実感させられました。

変化するものとしないもののコントラストがメキシコの現在を映し出しています。再会や出会いの中で、古くて新しいお互いの発見を皆さんと少しでも分かちあえれば幸いです。

**＊アメリカ合州国**　この呼称は、長年の慣習や「民衆の国」のニュアンス表現から「合衆国」支持の人が多いです。本書では慣用より原義を重視。他の翻訳国名での「連合国」「連邦」などとの表現の共通をはかるためです（文中では米国、アメリカまたＵＳＡも併用）。

なおメキシコの公式名称は「Estados Unidos de México　メキシコ合州（衆）国」。現在、メキシコ国内でも「ＵＳＡとの誤解を避けるためこの呼称を止めよう」という意見もあります。なお、「アメリカ合州国」の英文標記のＵＳＡ（United States of America）はスペイン語では Estados Unidos de Americaですが、「メキシコ合州（衆）国」の英文表記では順が変わって、ＵＳＭではなくて「ＭＵＳ（Mexico United States）」とされています。

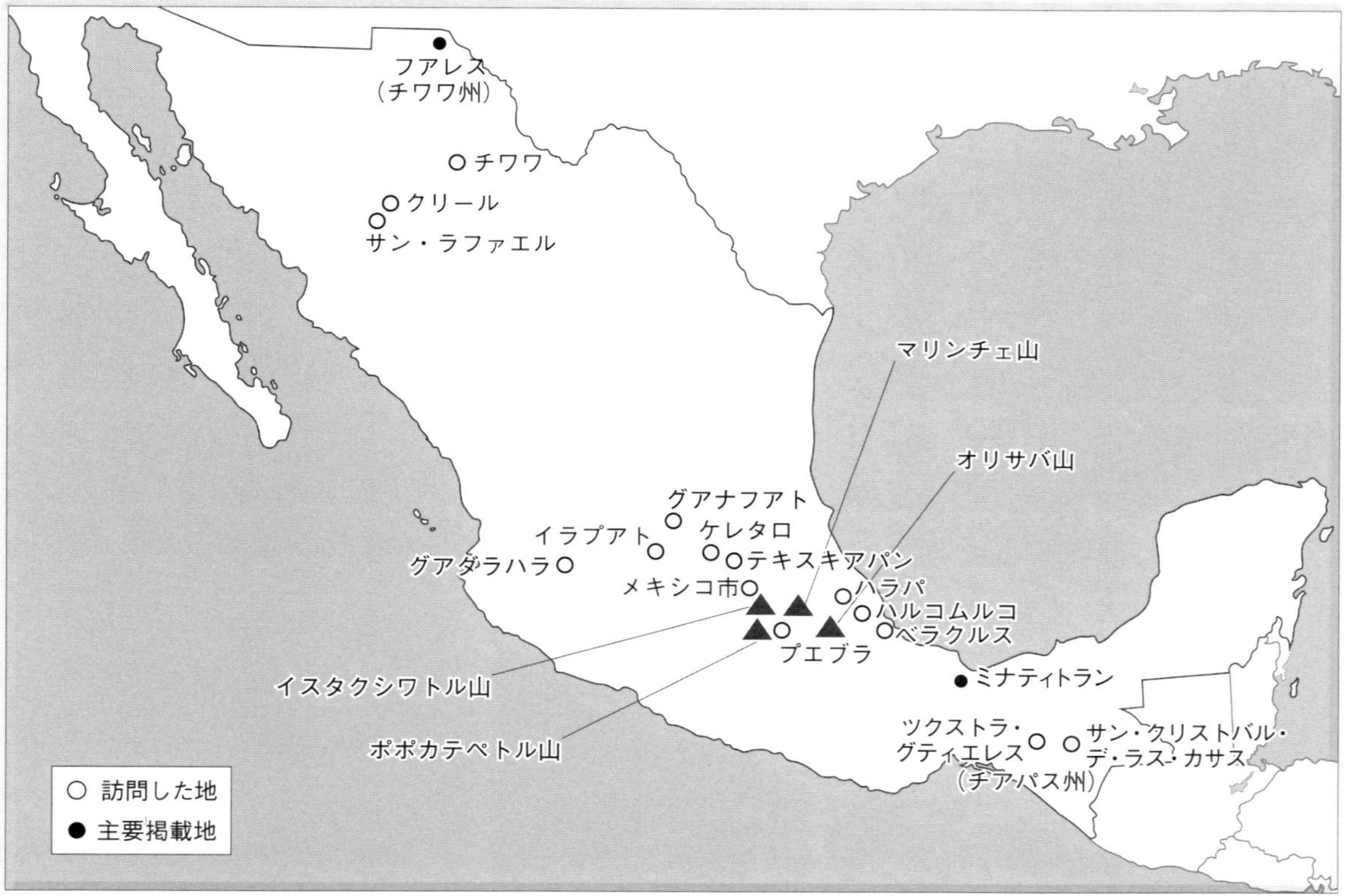
フアレス
（チワワ州）
チワワ
クリール
サン・ラファエル
マリンチェ山
オリサバ山
グアナフアト
ケレタロ
イラプアト
グアダラハラ
テキスキアパン
メキシコ市
ハラパ
ハルコムルコ
ベラクルス
プエブラ
ミナティトラン
イスタクシワトル山
ポポカテペトル山
ツクストラ・
グティエレス
サン・クリストバル・
デ・ラス・カサス
（チアパス州）
訪問した地
主要掲載地

# メキシコ・地人巡礼◉目次

# 第一章
# 変貌の街角

——メキシコ市アラゴン地区近郊

６月末、公園内には古代の湖沼群が大復活。中央の人工池には周辺から水が流れ込み、ひと回り大きな湖の出現となっていました。

# メキシコ市に住む──「トレンディー」なわが家

メキシコ市はメキシコの首都で国内最大の都市です。他方、もともとは湖沼豊かな土地で、その多くはアステカ文明の崩壊を象徴するようにして埋め立てられてしまいました。けれども、かの湖沼群は、時として市内各地で突如目覚めて「復活」します。スコールの午後に歩くと、路上や公園にあふれ出した雨水が古《いにしえ》の湖沼の再現のようです。

まるで、埋められた湖が復活したがっているように思えるのです（本章、扉写真参照）。

高層ビルから周囲を眺めれば、この地が四方を山丘に囲まれた広大な盆地であることが即座にわかります。メキシコ国内で第二、第三の高峰であるポポカテペトル（原意「煙の山」、略称ポポ）やイスタクシワトル（原意「白い女」、略称イスタ）という雪を頂く五〇〇〇メートル級の名峰。それを東方に望み、南部には小高い丘陵が続いています。その稜線には二〜三〇〇〇メートル級と思われる丘陵。ところが手元の近郊地図に目をやると「三千数百メートル」の表記が！　一瞬、誤記か？　と思います。実はすぐそばに見える丘がまさにその三〇〇〇メートル級の山々なのです。中央高地帯はそもそも海抜二〇〇〇メートル、丘陵群が実は日本アルプス級というわけです。

メキシコ市周辺ではその多くが火山でその数たるや半端ではありません。市内南部に位置するメキシコ国立自治大学（UNAM）から約二〇キロ南には、ほぼ二～三〇キロメートル平方に一五～六もの火山が。その東一〇キロにも四～五が点在といった具合です。「深い眠り」から覚めないことを祈るばかりです。一番近い火山はコレヒオ・デ・メヒコ大学院大学から五キロほどの近さ。日本でも火山近くに集落がありますが、人口の密集度からメキシコ市は、火山帯の側というより、上に位置するといっても過言ではありません。

立体式のヴァスコンセロス図書館（メキシコ市ブエナビスタ駅近く）

　メキシコはなかなかの山国でポポやイスタ以外にも名峰が多いです。メキシコ市からは離れますが、最高峰はピコ・デ・オリサバ（原意「水浴の峰」、五六一〇メートル）、緩やかな稜線の美しいマリンチェ（旧称はマトラクエィトル、原意「青い裾野」）、太陽と月の湖で名高いネヴァーダ・デ・トルカ（原意「冠雪し頭をかがめた」）も四〇〇〇メートル級です。山の名称の多くは先住民族のナワトル語からきており、一部はスペイン語を含みます（「ピコ」「ネヴァーダ」など）。

　日本人向けのメキシコ市観光局の案内パンフレット（二〇一五年版）による同市の説明は次のとおりです。「標高二二四〇メートル。遠くに聳える五五〇〇メートル級の火山を望む高原盆地の、人口約二〇〇〇万人の大都会。先住民族と西洋文化の融合社会とアート世界への旅の入口」、「ハイソでトレンディー・スポット、古本屋、バー、レストランが連なる高レベルで親しみやすいローマ地区」。

メキシコ市に住んだのは今回初めてです。四月に到着してから六月半ばまでは主に安宿に宿泊し、六月に旧友のミタニ氏が市内の同地区に所有するマンションを整理してそこの住人となりました。自分には不似合いなこの地区が、今回六月からの同市でのわが家となったのでした。

ミタニ氏は夫人のドロレスさんの故郷イラプアト市にUターンする前の長い年月、教員としてここから大学に通いました。夫人は近くの環境省への通勤でした。留学時代は、留学先のプエブラ市から同市来訪時にたびたびご厄介になりましたが、今回はやや管理責任も感じ軽い緊張感が伴います。

この周辺は以前、閑静な住宅街でした。今やマンションの一階部分はレストランやパブなどが軒並み進出、平日まで観光客のラッシュ。深夜過ぎても明るく人通りも絶えず安全度は高そう。反面、大勢が闊歩しそれはそれで不安要素です。ロビーへのドアの鍵を開けるとき周辺を見回し、怪しい視線の挙動不審人物がいないか確認します。

## 地下鉄とバス

以前はバス停が近づくと車内で「バハン（降りるぞ）！」の呼びかけが発されたものです。降車客がいないと通過されてしまうからです。今やそれがほとんど聞けません。

市内主要道を専用車線でカバーする大型連結の「メトロバス」はスムーズで便利です。この新しい交通網は乗降客数が多くて全バス停で停車。ですから、「バハン！」は禁句です。一言でも発すれば「田舎もの」と思われかねません。ただ、この「禁句」がまれに聞かれることもあります。混雑時、降車客より乗車客が先に入り込もうとします。すると、この懐かしい言葉が！　バス内は一瞬、軽い緊張感を伴った何ともいえない雰囲気。ラッシュ時の乗客は「それを言っちゃ、お上りさん？」の感じです。大都会産の若者なら、「エッ、今のあれ何？」というくらい「死語」なのかもしれません。

村のローカルなバスでは今もかなりの音響で歌がよく流れています。人気歌手の流行歌でしょう。以前はほとんどのバスで聴かれましたが、今はその音量も小さく、流していないバスにもよく乗りました。一方、運転席の頭上の聖母像は健在です。ただこれも以前は装飾がオールカラー、今は彩色数も少なくやや地味な装い。とはいえ今もバスは歌い、聖母像は乗客を見守り続けているのです。

長距離バスの速度は多少早くなったようです。三五年前も、私のバス最長踏破はメキシコ中央部の首都と北のチワワ市間で、時間は二二時間から一八～二〇時間に短縮。

音楽つきの短距離バスと違い、長距離バス内は静かなものでした。しかし今や恐怖の〝テレビ地獄〟に。バスが動き出すやご開帳のように天井五～六カ所から〝テレビ様〟がスーッと下がり冷たい顔をむき出します。映像がニュースならまだしも、激安ハリウッド映画のようで音量も半端ではありませんせん。ごく最近の高級バスは席ごとの小型個別テレビつきもありますが、旧来のバスでは客に視聴を強制するのです。一九六七年からテレビ無し生活のわが身には、ほぼいじめの世界。かつては思考と安らぎの場所だったのに！　読書にメモ書き、資料の整理の時間のつもりが、テレビ様は「オイ、俺様を見ろ！」と迫ってきます。ただ、よくなったのは席別の天井灯が備わった点です。夜行バスでも手元が明るく持参の懐中電灯をかざす必要がなくなりました。

長距離バスではほかにも驚き体験があります。最終目的地だからといって到着後にすぐに降車せずモタモタするのは危険。ケレタロ市にバスが到着直後に車内トイレを使いました。降りようとするとほかの乗客はいなくて運転手もすでに立ち去り、ドアがぴっちりと閉まり開きません。防犯のため外からのロック。ドアをドンドン叩くのですが、もう皆遠くに行っています。窓は密閉式、一体、何時間閉じ込められてしまうのか、バス中泊か？　と憐れな視線をターミナル全体へ投げかけました。たまたま、別のバス客が事態に気づき端の方から通報に行くのが見えます。空腹をかかえ孤独な夜を過ごさずに済みました。

## 車内商人《アキンド》

同市は世界有数の地下鉄都市で一二本が街を巡ります。車内は小さなメキシコ世界。売り子が急に乗り込み次々と回ってセールスを始めます。車内商人は実に多様。直感で分類してみました。

**物売り型**　多いのは、アクセサリー、電池、ガム、チョコレートなど小商品です。もうひとつは自作品で、民芸品から詩集やパンフ、またときには立派に製本された書籍まで説明つきで売りにきます。

**「サービス」売り型**

**演説・説教型**　何かを訴える人です。よく聞きとれませんでしたが、三〇歳前後の男性が真剣に社会問題を訴えていました。五、六人がカンパしたので説得力があったのでしょう。同パターンで見向きもされないケースにも出会いました。その青年はこざっぱりした服装で数十秒間、何かをブツブツ。すぐに現金回収に、で乗客全員が無視です。彼は次の駅で降りていきました。その中途半端な姿勢の訴えを疑われたのでしょう。

**ショー型**　まずは体操型が挙げられます。車内の吊り輪でまさに器械体操「競技」をするのです。すごく短時間で乗客の感動をまったく呼び起こしません。真剣なのですが笑いをこらえました。次はサーカス型。二、三人組のチームで、ひとりは風呂敷風の分厚いマントを広げて割れたガラスなど並べます。別の男は上半身裸で上に横たわる大道芸型です。終わって立ち上がると背に血がにじみます。乗客は無視し目を背ける若い女性も。比較的新しい「商売」だそうで高収益とは到底思えません。

**チャリティ型**　視覚を失った中年女性が二人、箱の中にしこんだテープからガンガン音楽を流しゆっくりと車内を行きます。残念ながら金を入れる人はありません。音量が大きすぎ反感をかったのでしょうか。

**音楽型**　ギターなど自力生演奏型と、テープ持参の他力本願型が。先の型と重なることも。親子で組み、演奏前に子どもが「お騒がせ」の詫びのような紙片を配っていくこともあります。ショーの後、子どもはその紙の回収に回りそこで金を期待するわけですが、なかなか現実は甘くはないようです。

今回の滞在中、車内商人の最高頻度は一号線で九月二七日、午後四時からの約二〇分間で七件にも及びました。ただ、薬や指圧などの治療施術型は見かけません。医師法や薬事法などの規制によるのでしょう。また、物乞い人は来ません。棲み分けというよりは地下鉄料金の五ペソ（約四〇円）があればパンやトルティージャ（メキシコの主食。トウモロコシの粉末をこねて焼き、大きな餃子のようにして野菜や肉を挟んだ食品）が買えますから。

ともかく車内は日銭を稼ぐ細長い移動マーケットです。なお、当地では富裕層はもちろん、かなりの中間層でも地下鉄を利用しません。そのため、現地人ですらこうした話に驚くので、逆にそれがこちらを驚愕させます。

真夜中の駅でも女性の一人客は結構見かけます。最終便近くには警備員や警察官が声を荒立て鉄柵で通路を閉めていき、柵を越え出ようとした若者二人を警官が厳しく叱責し制止。その高圧さに防犯への緊張を感じとれました。

## 仲間乗せ

外国人と接点の多い職業がバスやタクシーの運転手です。ただ、交通量の少ないローカルバス以外ではゆっくり話せません。ふつうは社用車とは無縁の生活ですが、当地の日系電気会社の訪問時は例外でした。以前その社のトップだった旧友の後任者から生活上の留意点を聞いた後、彼は私を社用車で送らせてくれました。その運転手は、帰国した旧友のユーモラスな人柄をしきりと懐かしみます。こういう流れでは初対面でも話題が弾みます。出身地、子どもが五人、長男はメキシコ国立自治大学《UNAM》の学生で同棲中の彼女を妊娠させたこと。「困った奴だ」と言いつつも名門大学を話題にしたい親心が現れています。彼の帰宅時間が遅くなるので極安ホテルへの路地前で「もう歩きます」と伝えても、うす暗い道の奥まで送り届けます。チップを渡そうとすると「社用ですから」と受けつけません。「お子さんへ」とさし出した外国製のチョコレートだけは受け取ってもらえました。

タクシー利用については友人たちから注意されました。基本は「流しを使うな」で、誘拐さえあるからです。用心深い人たちは外出中もタクシー会社を呼び出すか信頼ある乗り場だけを利用します。タクシー内の会話は社会勉強、今回は運転手に恵まれました。街はずれの日本語学校を探し回ってくれたケレタロ市の初老の人などは忘れがたいです（後述、第二章）。ふつう乗車後、こちらの名前を伝え相手の名を尋ねます。後で手帳にメモし一期一会を実感するのです。車内で短く自分が何者かを言い添え、日本社会も問題が多いことを話題にします。「フクシマ」のこと、自殺・糖尿病などを語るうち「糖尿病はこちらもひどいが、自殺は日本がずいぶん多いな」などとミニ交流となるのです。以前はときどきお目にかかったタクシー助手席の子ども連れ運転は今回まったく見ませんでした。これは会社の運営方針の強化というより子ども数が減ったことが大きいようです。

メキシコにはバス路線のない地域を乗り合いでカバーするペセロ（小型バスやワゴン）があり、制服はなく普段着勤務です。ペセロの停留所で初老の男性が運転席でゆったりとしています。まもなく乗客はほぼいっぱい。急いでいたので、早く発車をと声をかけようとすると彼は降りてしまうのです。入れ替わりに四〇歳代の人が運転席に座りエンジンをかけます。「なんだ、先の男は運転手の友人で用で席をはずしている間、留守番をしていたのか」と思いました。だが実のところはバスの金庫番だったのでしょう。運転席横の小銭入れにはコインが種類別に何十枚と並び、それで乗客と釣銭のやりとりをします。運転手の小用中、不在席は「チョイと拝借」の絶好のチャンスです。ふたりは友情プラス「窃盗監視の請負契約」で結びついているのでしょう。

## 暮らしの様相

### 装いについて

街を歩くとマスク人の少なさに気づかされます。病院での装着指示でつけるので「マスク人は病院帰り」、色は薄青色です。食堂店員もつけたりしますが、あごマスクが目立ちます。街のマスク人との遭遇は半年で約四〇人だけ。坂の多い観光都市のグアナフアトやタスコでは不完全燃焼の排気ガスでマスクはお勧めのはずですが、暑さが強敵なのか見かけません。ちなみに日本へ帰国直後の一〇月中旬、松戸市内の駅周辺で二時間ほど歩きマスク人数を確認、五二人に及んだのでした。

街では女性のスカート姿はとても少ないです。まことしやかな噂もあって、それは「レイプの予防手段」というおぞましいもの。これは男女関係の「大胆さ」とウラハラなのかもしれません。有名大学校内の広場の芝生上でも男女の学生が並んで寝ころび抱き合っています。一、二組ではなく隊列のように十数組ともう壮観です。この場で相手を刺激しすぎて予定調和を壊したときスカートはふさわしくないでしょう。「ツイ、気がゆるんで」もジーンズであれば警戒水位を超えそうな彼氏にも装甲効果が期待できるというものです。

　四〇年来のつきあいで日本に長く住むメキシコ人男性は冗談めかしこの件を解説してくれました。まずは、脚の形に自信がないこと、次に防犯対策上、そして仕事や学業での活動しやすさ。なお、式典やパーティなどでは予めスカートやドレスを会場へ送り届けるか持参していくとのことです。

## 食事代の不思議

メキシコではランチが一日のメイン食です。昼食開始時間はいろいろで工事現場では午後一時、事務所によっては二時。これらとは別に朝から三時か四時まで連続勤務した後は退社という勤務体制もあります。こうして昼食の時間帯は正午から四時すぎまで広がり、事情を知らないと当地では午後はずっと食事中に映るのです。

　昼食のおすすめはコミーダ・デ・コリーダ（定食）でスープ・ご飯かスパゲティ・魚肉類・デザートと連続式《コリーダ》のランチです。だいたい三〇ペソ（約二四〇円）から五〇ペソ（約四〇〇円）、普通サイズのタコスは一個一五ペソですが空腹を満たせず、二個注文すれば同じような値段です。

　定食店では飲み水の無料サービスはなし。ミネラル水は一五ペソ、多くの人はジュース類を注文し合計七〇ペソ（約五六〇円）近い出費。新入職員の初任給が月約三〇〇〇ペソから五〇〇〇ペソ（約四万円）ですから、朝夕食は抑えてもメインの昼食は満足したいのでしょう。

私は飲み物を注文せずいつも持参の水筒でのどを潤します。また、立ち食いタコス店にはトッピング取り放題の店があります。これが実にありがたい存在。煮豆、ノパル（サボテン）煮、アボカドをつぶしたもの、サルサ（トマト、タマネギに緑唐辛子をみじん切りしたもの）、原産の青レモン、極太のキュウリ輪切りなどが取り放題！　よく一五ペソのビーフタコスにこれらをたっぷり盛り夕食としました。壁には"Moderación"（適量を！）との貼紙が。知らぬ顔で山盛りにしても、嫌みの一言は一度もありませんでした。メキシコ的寛容精神だったのでしょう。

## 祈りの風景（天上のイエス、地上のマリア）

信仰対象を問わず、人が真摯な態度・表情で打ち込む姿は心を打ちます。教会内が満杯で入れず入口の扉の前で跪《ひざまず》き祈っている人の姿は特に印象的。教会で祈る姿を見つめるのは、自らの平安にもつながります。十字架上のイエス像以外に礼拝堂の入口のマリア像、居並ぶ聖人たちを「ミニ巡礼」し祈りを捧げている人もよく見かけます。元ローマ教皇の故ヨハネ・パウロ二世の真新しい肖像の前には人垣ができています。彼は最新の聖人で今や祈りの対象、メキシコを何度も訪問していて特に敬愛されています。

ただ、歴史的には教会と国家の対立関係は深いです。長年教会は、土地支配やさまざまな手段で人々を搾取してきました。国家と同じく宗教権力も大きくなるほど強力に。「絶対的権力は絶対的に腐敗する」のは信仰世界でも例外ではないようです。敬虔な態度は貴重ですが、常に歴史の教訓と未来のありようを自分の頭で考えることが肝要です。祈る姿は逆説的に「しっかり考え抜くことを放棄してはいけない」とも教えてくれるのです。

ともかく教会の数に驚かされます。そして、それぞれの歴史と外観と内装、また作法のバリエーションにも。オルガンなしでも「アヴェ・マリア」や「ハレルヤ」の大コーラスの響きを耳にすると無信仰者にも何かひたひたと染みてくるものがあります。

キリスト磔刑像は実に痛々しい。自己犠牲と献身、懺悔と告白、迷いと苦悩、オルガンと音楽はこの痛々しさを和らげるモルヒネ？　周囲の聖人群像をお供に傷つき横たわり、天を仰ぎ天に帰りゆく数多のキリスト像。この圧倒的な男性世界に花を添えるのがマリア像です。マリア像はアジアではモンゴロイドの黄色い肌、アフリカでは黒色、メキシコでは褐色の肌とその装いを変えます。メキシコでは「グアダルーペの聖母」がもっとも有名で、「マリア教」とさえ思わされます。というのは聖母像が主神像より大きく、上位に置かれることもあるからです。ただ、目をこらすと聖母の上からミニ・キリストが見守りをと、なかなか細やかな「人事配置」。「母」は柔らかさを与え、「父」との「男女登場機会均等」感も表現しています。日本でも古事記や日本書紀の時代から女神が活躍し、その後の神仏混淆などの歴史体験からも理解されやすいでしょう。キリスト教が世界布教を目指すとき、アニミズムや母神・女性神の信仰地域に対して人々の警戒心を解くためにマリア信仰を意図的に使った、との説はよく知られています。宗教の門外漢には、世界はジェンダー・バランスが大切という常識の象徴的な一例です。

わが友人たちの信仰との距離はさまざまで「日曜ミサだけ」派がもっとも多いです。世界平和と心の平安、家族への祈りのみならず、遠方の友人たちの安寧を願ってという人も多いのです。

## 清掃人と靴磨き人

家事手伝い人や家庭清掃人の世界はまだ健在です。住宅地で行き交うエプロン姿の中年女性の多くはそうでしょう。留学時の下宿先では中年女性が週二、三回洗濯にきていました。ただ私は、小学時代から母の入院が続き手洗い洗濯に慣れていたので、その依頼をしませんでした。すると下宿のおばさんから「彼女の仕事が減るからぜひ依頼を」と促されます。迷いましたが約一年間、「自力洗濯思想」の転向を決断したのでした。

メキシコ市のサン・アンヘル地区には一九三一年から営業している海鮮食堂があります。そのトイレで大学教授風の整った服装の初老の人が床清掃をしているところに出会いました。何か話したくて、かといって適当な話題もなかったので、労働時間を聞くと「日に一二時間」。どんな人生軌跡をと思いつつ、よく磨かれた床を見回すのでした。

市内の安宿で清掃担当の中年婦人は「自宅から片道二時間かかる」といつもつらそうな顔でした。通勤地獄はひどく「貧困層は周辺部に拡大」という話とつながります。部屋の清掃が不要のとき、清掃人に対して、賃金支払いは出来高か拘束時間によるかを確認します。「清掃いりません」と断ると、出来高払いでは、その人の実入りが減るからです。「拘束時間払い」と聞いた後に「今日は清掃不要です」と伝えると明るく「グラシアス」が返ってきます。

以前と同様、靴磨き人は多いです。北部チワワ市の広場には二〇人以上が人力車を並べたような座席で列をなし壮観ですが、全員に客が一人もいないこともあります。また、プエブラ市内の食堂では靴磨きの青年が次々と注文を取りに店内に入ってきます。過当競争では無理もないことでしょう。ときには少年、青年、再び少年と食事中に四、五人も。客は、「靴の土ぼこりが食べ物にかかる」と快く思わないのか、一声もかかりません。ただ、彼らの生活の大変さを人々は熟知しているのでしょう、「入るな！」と言うのは見たことがありません。また、年ごろの颯爽とした女性が手と腕を靴墨で真っ黒にしているのには感動さえ覚えてしまいます。個人的には、靴磨きされるのは見下しているようで好きになれません。ただ一度チアパス州で磨いてもらいました。その少年の真剣な仕事ぶりは強く印象に残りました（後述、第四章）。

## 犬の世界

メキシコでは「お犬さま」は堂々と自由世界を闊歩しています。ただ超細身なのは中年メキシコ人と好対照。以前は「狂犬病に注意しろ！」と在住日本人から警告されましたが、今は聞かれません。街角の「野良もどき」はおとなしく、むしろ二階ベランダやテラスに放置された飼い犬が問題。この連中は二階から頭ごなしにやたらよく吠え、雷に苛まれる気分です。地方の犬はそれ以上に吠え、しかも放任状態が多く異邦人不信。すごい形相、集団で飛びかかられそうだからたまりません。レンタル自転車の私を猛烈に追い、足をがぶり寸前の経験もしました。その点、都会で暮らす哲学者然たるあばら骨連中はかわいいいものです。

　動物たちの「オミヤゲ」は都会でもかなり目立ちます。郊外で馬や牛、ロバや鹿のモノとのご対面は土や砂利道の路傍のせいか違和感はありません。しかし街のアスファルト上での謁見にはやはり拒否感が。日本で昭和三〇年代頃に剝奪された犬族の「歩行自由権」は、当地でも完全保障ではありません。長く住む日本人は、「近隣に十数匹も野良犬が群れていたのが突然消えた。保健所が捕獲したとの噂」と。群れ行動の場合通報があると自由権は制限されるようです。

　それにしてもなぜ犬に寛容なのか、何人かに尋ねても明答は得られません。たぶんまだ多くの人にとって、家畜と共同生活の農家暮らしは一、二世代前のことだからなのでしょう。都市化の中で「お犬さま」も飢えと寒暖の責めから解放され、ときには人間家族より優遇され糖尿病やウツに悩まされつつ、自由を奪われていくのです。

社会と政治

## NAFTAの功罪

ＴＰＰ（環太平洋パートナーシップ協定）の先取りといわれるＮＡＦＴＡ（北米自由貿易協定）は、メキシコではＴＬＣ（Tratado de Libre Comercio de América del Norte）と呼ばれています*。一九九二年、メキシコ、アメリカ、カナダの三カ国で締結され一九九四年に発効しました。これに反対して武装蜂起したのがチアパス州のサパティスタ民族解放軍です**（略称ＥＺＬＮ。後述、第四章）。二〇年を経て、協定の象徴的結果がウォルマートやシアーズなどの外資系のスーパーで、街中ではかなり目立ちます。

各地で何十人もの人にＮＡＦＴＡ効果を尋ねてみました。ほとんどのインテリは一般庶民の立場で否定的。「あれでアメリカとカナダは儲け、メキシコには益がない」、「本来ならメキシコ人の懐に入るべき収入が両国に流れていく」、「メキシコのごく一部の金持ちや政治家はうまい汁を吸う」という意見です。

やや肯定的なのは、商人や観光地の人々で「海外の良質品で売り上げが伸びた」、「観光客が増え雇用機会や収入も増えた」などの声。商品の質という点からはめずらしい経験もしました。ケレタロ市内の雑貨店で二〇一四年六月に買った使い捨てカミソリが二〇一八年初めまで使用できたのです。国産品ではまあ二～三カ月。一本しか購入しなかったことがつくづく悔やまれます。

同協定は中間層を創出しつつ、一方で貧富格差の拡大状況も発生しました。また、深刻なのは人《ヒト》と麻薬《ヤク》の移動です。アメリカへの出稼ぎは一九九四年以来、減るどころか増えています。また、「自由貿易」による副次効果で麻薬がたやすく国境を越えています（後述、第五章）。

興味深いのは、さほど「九九％対一％」論が展開されていないことです。ＮＡＦＴＡの本質はその拡大版のＴＰＰと同じく、国家間の格差拡大以上に、「一％」の富裕層が資産を独占し、ほかの「九九％」の資産総計に匹敵する社会を生み出す点です。ごく少数者が富を効果的に収奪しようと、また、富裕層やその仲間入りを狙う政官財エリートの多くが、ＮＡＦＴＡを推進しているわけです。「アメリカやカナダはメキシコの稼ぎを奪う」のは一面では事実でも、利益の集中化で私腹を肥やす同国人もいるのです。この点は日本も同様でマスメディアが事実をわかりやすく伝えていません。一八〇三年にメキシコ各地を旅したドイツの地理学者アレクサンダー・フンボルトは不平等を厳しく批判。「ここには、何も持たない人たちとすべてを持っている人が住んでいる」と記録しています。その後、独立と革命を経てもこの解消が最重要の課題であり続けています。

＊ＴＣＬ　二〇一八年一一月、新協定となる米国・メキシコ・カナダ協定（ＵＳＭＣＡ）を締結。工業製品の原産国規定の見直しのほか新為替条項も盛り込まれました。発効には各国の議会承認・批准手続きが必要。

＊＊**サパティスタの武装蜂起**　サパティスタは一九九四年にメキシコのＮＡＦＴＡ加入反対と先住民族の人権擁護・貧困撲滅を求めチアパス州で武装蜂起。正式呼称はＥＺＬＮ（Ejército Zapatista de Liberación Nacional サパティスタ民族解放軍）。当初は武装闘争路線をとり、その後、代表者たちのメキシコ議会での演説など交渉路線に変更。政治権力の奪取を目的とせず、地域自治により貧困と差別解消、人権擁護を主目的とする点がユニークで世界にも支持者が多い理由となっています。ただ政府交渉は進展せず、近年は彼等の支配地域内での社会主義的政策の展開を模索する傾向が強いようです。

## 地方意識とモザイク世界

愛郷心、また世界からの移住民の出身地意識が生み出す地方特色は外国人にはわかりにくいものです。第二の都市グアダラハラ市近郊で最も古いトラケパケ地区で生まれ育った友人は、タパティーヨ（グアダラハラっ子）意識が強烈。彼の案内で中心地を歩き、ある一角の人通りが極端に少ないのに気がつきました。彼曰く、

「ここはチランゴ（メキシコ市出身者）がつくった街で、周辺の雰囲気になじまず、地元の人はあまり来ません」

そして愛郷心の披露しきりで地方人の自負を感じました。

同市から西方のプエルト・バジャルタあたりの中西部は、スペインのガリシア地方（北西部、ポルトガルの北）からの移住民（ガジェーゴス）の多い土地。文献でも「新ガリシア」をよく見かけます。他方、北方ではスペイン北部バスク地方出身者が多く、移民送出国と移住先の地理的位置が相似的なのはおもしろいところです。

スペインからアメリカ大陸への進出は時代により出身地が変化、移住先は出身地の特色を色濃く映し出します。「新ガリシア」同様に、「新カスティーリャ（現ペルー）」、「新グラナダ（現コロンビア当たり、グラナダはスペイン南部アンダルシア州の都市名）」などがあり、メキシコは「新エスパーニャ」と呼ばれました。現在のスペインの自治州制度は一九七八年憲法で定められ一七自治州（五〇県）を構成、歴史上の各地域とは必ずしも一致しません。

当初、進出は征服者コルテスやピサロの出身地、スペイン南西部のエストゥレマドゥーラが先頭を切り、ついで南部アンダルシアや中部カスティーリャ。遅れて北部バスクや北西部ガリシアが、その後一九世紀には中・東欧や中近東からの移住が増え、スペインの北部カンタブリア出身者が最大勢力に。各地方が独自文化と生活習慣を有し、言語も違い、移住地でも独自性を生み出していったのです。

スペインは歴史的にアラビア文明など地中海の諸文明と文化の影響を大きく受け、多民族多文化的です。またバスク語は言語体系が他州とまったく違っていて欧州の中でも特異。先住民族の多様さの上に多様なスペインが重なり、その後に世界各地から移民がやってきました。メキシコは多様な民族や文化が多層的に組み合わさった、モザイク世界なのです。

## デモと集会

街角では五月一日のメーデーなどデモや集会に遭遇しましたが、日本より自由な感じを受けます。道路全体をデモ隊が広々と使えるからです。日本では管理強制的な警備で、しかもやたらとマーチ列を分断します。日本も他国の例を学び過剰規制をやめ、せめて道路の半面利用を認めるべきでしょう。メキシコではデモ隊列は自由、隙間だらけで長くつながります。また、軽食やアイスクリーム屋などの移動販売店が隊列に同伴。これもデモに開放感や家族ぐるみで参加への意欲を生み出すのでしょう。

五月二七日のメキシコ市内のデモは農民連合主催。少ない州でも三、四〇人、ミチョアカン州などは三〇〇人ほどが繰り出し、州ごとの横断幕や大きな旗も見飽きません（全国三一州）。シンボル化されているのは独立の英雄ミゲル・イダルゴ神父や、革命の立役者エミリアーノ・サパタ。イダルゴは州の名称となって彼の肖像旗は州のシンボルです。機動隊はデモ行進の大通りから一、二本離れた通りや路地裏で整列。少グループで十数メートルごとに待機。隊員の一割近くが女性であることは、女性参加者にやや安心感を与えるでしょう。

五月中旬、市中心部の政府関係施設前。サパタが描かれた巨大旗がうち振られ、政府の土地収用への抗議集会が二、三〇〇人規模での開催。柵の中では数十人の機動隊員が反撃姿勢をとり物々しい雰囲気でテレビ・クルーも何人か来ていました。土地に絡む集会はほかでも何回か遭遇しました。

メーデーのデモ風景。移動売店も一緒に（メキシコ市）

代表的歴史建造物である革命塔下の広場では二、三〇のテントが張られていました。たまたまテントから出てきたリーダーらしき人に占拠の目的を尋ねます。「南部オアハカ州周辺の教職員労働組合の抗議行動」との説明がありました。労働条件の改善、賃金アップなどを要求し、約一万人のメンバーから選ばれた一一〇人が代表として泊まり込み中。教師業務を交替で工面し、バスで一二時間の遠距離からの抗議で、半年以上続く活動の一環ということでした。ただ彼自身は首都圏の応援メンバーで、地方からの動員が手薄なときのテント維持要員。「メキシコ革命」という象徴的で観光客の多い所での堂々たる展開です。政府は集会を許可したのか黙認か、規制や撤去しないのは懐の広さを示したいのでしょうか。

ただ、一部のメキシコ人は「参加していない教員も多い。リーダーの一部は政府とつるみ、政府はガス抜きで黙認の場合も」と指摘。ほかの抗議でも大組織の行動に対しそういう見方はよく聞きます。それほど政府は運動を取り込んでいるのでしょうか。政府に対してはもちろん、リーダーの一部にも不審の目が向けられ、まじめな活動家たちにはつらいことでしょう。まあ、巨大労組幹部の一部は労働貴族化し、原発反対もできず政権と癒着しやすいのは日本も似たようなものです。

## 犯罪多発の憂鬱

メキシコ人からは在メキシコ日本人以上に防犯心得を厳しく注意されました。ある友人は大きいゴシック文字で、「夜行バスを使うな!」とメールで送ってきました。別の友人は再会してすぐに「パソコンデータ、メモ類のコピーはしましたか?」と問い、データ類のバックアップやコピーにすぐに協力してくれました。大学教員の彼はデータ集めの大変さを熟知していて、「パソコンはピストルを頭に突きつけられたら渡せばいい。データは取り返しがつきません」と強調。「日本にも泥棒はいますよ」とつぶやくと、「一〇〇〇倍と思って一〇〇〇倍ですよ!」と念押しされました。忠告には大感謝ですが、メキシコに申し訳ないような妙な思いにもかられるのでした。

当地の麻薬問題は日本でも単行本や映画で紹介されています。二〇〇六年から四年間で、麻薬関係犯罪での殺人は判明分だけで約三万四〇〇〇人、うち公務員が約二五〇〇人で警察官や兵士以外にも判事、市長など「非武装」公務員も一〇〇人ほど犠牲になっています。軍部や警察関係者に退職を勧めてマフィアにリクルートするケースさえ生じています。マフィア関係取引は推定約三〇〇億ドルで、メキシコの外貨獲得順位トップの石油関連輸出の三六一億ドルに迫る勢い。これは出稼ぎ送金二一一億ドル、外国人観光客からの収入一一三億ドルをはるかに超えています。密貿易に絡んで動いている金はなんと一二〇〇億ドルとも。

彼らは、麻薬取引以外の「仕事」にも手を染めています。そのひとつが誘拐による身代金要求。金持ち階層だけを狙うわけではありません。小銭を持って違法入国した中米の難民集団にも一人二〇〇〇ドルを要求、一般市民や貧しい人々にも情け容赦なし。また、殺人請負業では一人八五ドルのケースも報告されています。

深刻なのは軍や警察内部にもマフィアに通じる連中がいて、警察官の大量逮捕や連邦警察と地方警察の撃ち合いさえ発生。また、メキシコや米国での、地方の政府関係者には、マフィアを使い左翼勢力や政敵を倒そうする勢力も存在し事態を複雑にしています。ただ大都会は、米国境のチワワ州フアレス市などを除きマフィアの触手対象外のようです。都市部が混乱するとマネー・ロンダリングに不都合が生じるからとか。そのため都会は相対的には安全で実際「メキシコ市ではこの間、治安がよくなった」の声を何度も聞きました。

各地ではマフィア対抗の住民武装自警団が続々結成されています。ただ、マフィアへ恨み骨髄の自警団の報復が暴走し残虐行為が発生、一部が「マフィア化」することさえあるのです。これに対しては、共同体が中心にもともとの地方警察とは別に独自の警察も組織されています。また先住民族の村では自衛と自治の両面から地域おこしを開始、マフィアの温床である貧困への撲滅の動きも出ています。

# 第二章 巡り会い

――ケレタロ州テキスキアパン郊外

下校風景はいつも解放感があり旅人を癒してくれます。顔をのぞかせた月は、ゆっくりとその姿を高めていきます。はるかに歩を進める彼らの背を見守るように照らしながら。

# 再会

## 四二年ぶりということ

家族でさえ夜眠る瞬間には別れて翌朝には再会する、といえないこともありませんが、ふつう毎朝の再会に感激はしないでしょう。ただ睡眠中の急病で昨夜の別れが今生の永別にということもあり得、やはり再会はうれしいものです。以前、当時まだ三七歳だった親友が深夜に事切れたことがあり、再会できる重さを思い知らされました。海外の旅はある種の「ハレ」であり、母国での同パターンの日常「ケ」に比し「一期一会」の感覚は研ぎ澄まされます。日常の別れのとき、通常はよほど高齢か重病でもない限り「もうこれが」とは考えないでしょう。悲しいことに現実には、そうなることも多々あります。

私の元勤務先の技術協力団体では、五十数年間の事業の中でメキシコからだけでも二〇〇〇人近い技術研修生を受け入れてきました。そのうち私が直接担当した同国研修生は二百数十人。日本での一年ほどの研修中、ストレスや精神的不安への対応、行事・スポーツなどでともに過ごし記憶に強く残る人々は三、四〇人くらいでしょうか。

何人か再会するうちに、なぜ、何が再会を求めるのかと考えてみました。それぞれの三五年間の時空を一瞬にワープ、青春への夢紀行、お互い生きてきたことの確認、その喜びの重なりを味わうことなのでしょうか。さて、今回の滞在で「再会は再生への細道」と最初に感じたのはハラパ市でした。

一番久しぶりの再会はハラパ市でのビクとで四二年ぶりのことでした。彼は一九七一年、日本とメキシコの留学生・研修生交換計画の第一回技術研修生として来日し、日本の代表的な電機企業に約一〇カ月滞在しました。もの静かで話し上手の彼と私は、とても気が合いました。再会の日から彼とはほぼ三日間連日で話し、妙なことに気がつきました。彼が日本にいたころはよくふたりで横浜各地を歩き、彼はそのことをよく覚えていて次々と話題にします。ところが私には具体的な共通体験がほとんど思い出せません。ただ「彼にぜひ会いたい」感覚はしっかり維持されているのです。おそらく人間が再会を求める強さには、具体的な記憶以上に感性の共鳴や醸成させられた「再会念願」のようなものが大きな働きをしているのでしょう。

彼は日本での研修後アメリカで博士課程へ進み研究機関や大学に勤務、その後に木材加工と販売という故郷での家業を任され、今はソーラー発電研究・開発・コンサルタント業をしています。再会しても昔話より話題は自然エネルギー、エコツアー、環境問題がメインとなります。共通の問題意識が四二年の時間を飛び越えて瞬時につながり、すぐ未来の話に展開する醍醐味も再会の味。まったく別の道を歩いたのに、毎日会ってきた友人のように話が弾むのはやはり一種の奇跡なのでしょう。

## 事業を支えて

ラファエル氏は一九七六年に研修生として来日し、ビクとは別の電機メーカーで技術習得に努めました。三五年ぶりの再会でしたが、やや微妙な展開になりました。

理知的で飄々としていて親切、私の留学中、当時は手狭だった自宅に私を招き、ソファを工夫してベッドを作り泊めてくれました。その後、彼は政府の原子力関係機関に勤務、指導的立場にあり七〇歳近いのに退職できません。今回、その勤務先と私の「フクシマトーク」計画の偶然に驚き、当然に話題は原子力発電に。日本では原子力関係者の中にも、原発維持に批判的な人がいることを伝えました。彼は「地球温暖化対策やエネルギー効率上、最低限の原発は自国に欠かせない」。私は「原発自体が発熱し冷却水も大量に要し、結局地球温暖化の原因。また天然ガスや自然エネルギー利用効率も上がっている」と。話すにつれやや気まずくなり、二度目に会ったときは原発の話題を避けました。彼は夫人同伴で会食と観光地案内をしてくれましたが、この話題は彼女が買い物中に少々だけ。別れ際「原子力研究は廃炉技術確立のため必要と思います」と私は彼を気遣ったのでした。

再会の旧友の中には夫婦で心配りをされ、感謝し尽くせない人もいます。

メキシコ市到着の数日後ルイス氏に電話。彼は一九七〇年代後半に日本で重機械製造技術を学びました。電話の翌日には、彼は夫人のヘオさんとホテルに駆けつけてくれました。もともと偉丈夫の彼は風格が増した上、レスラーか力士の域に達していました。頭髪の後退は私といい勝負、体重のせいか足を引きずるのが気がかりです。せっかちな彼はさっそく「今晩から自宅で泊まって」のお誘い。地方巡りの予定のためその際は遠慮し、その後、数回お宅にお世話になりました。メキシコ人が好む「ここは、あなたの家です」は、リップサービスでなくて本音です。

　彼は日本から帰国後は石油公社《PEMEX》で石油探査技術者として長年尽力します。自国の経済発展に貢献したとは口にしませんが、長年の仕事内容を聞くと、最先端で人生を注ぎ込んできたようです。部屋の壁一面の写真には、カリブ海の探索作業塔上で指導中のものが目立ちます。五〇歳代半ばから三大学で非常勤教員も兼務中です。

　三五年前にも彼には特別にお世話になりました。留学当時、私が大学のクラスの合間に準備した『日本の光と陰』（スペイン語版、約二〇〇ページの論文）のネイティブ・チェックを彼は快諾。熱心に見てくれたのですが日本研究のチリ人学者の共著予定原稿が進まず出版は断念しました。その学者は当時チリのピノチェット軍事独裁政権の弾圧からの亡命者で複雑な事情もあったようです。そのためルイス氏にも、出版社を紹介されたエル・コレヒオ・デ・メヒコ（メキシコ大学院大学）の田中道子教授にも恩返しができなかったのでした。

　やはり七〇年代に電機会社で研修したハラパ市のルナ氏は哲学者風。窪目が落ち込み、顔が彫深くなって俳優の仲代達矢氏の影武者のようです。夜遅く、研修時の同窓生で日本で発電技術を学んだ近隣のマリオ氏と、ホステルでパンをかじりながら旧交を温めました。彼は電力公社《CFE》を定年の五五歳で退職して一〇年、夫妻の両親四人のケアで大忙し。この間マリオ氏とも電話だけの付き合いで、私の訪問がお互いの再会の機会にもなりました。マリオ氏は「ここハラパ市でも元研修生の同窓会を」と提案。

マリオ氏にも同公社の勤務経験があり、メキシコ唯一のラグーナ・ベルデ原子力発電所での現場も経験しています。ただ監督や視察程度で内実にあまり詳しくなく、日本同様に下請けが現場作業を支えている構造のようです。マリオ氏は「あそこは怖い。長くいたくなかった」としんみり。三時間ほど話し込んだあと、ルナ氏は「今度わが家へ」と辞しました。

残ったマリオ氏は愚痴りはじめます。自分の息子について「悪友と付き合い馬鹿です。技術者の学位があるのに配送仕事」と非難。就職難から技術者が配送業務で稼ぐのは無理からぬことです。「将来へ向け努力しているのでしょう」と励まします。

一一時過ぎ、細い坂にうまく路駐したビートルは「一九六九年に購入」とのこと。よく見ると、ところどころに傷や凹みがあって、まるで今の彼を象徴しているかのようです。妻と別居中のさびしさからか「彼女ガ欲シイ」と日本語でつぶやき、「また連絡して」と繰り返すのでした。その後、彼とは幾度かメールなどで連絡を取り合いました。ただ、地方に働きに出ていてその後は会えませんでした。気に入った仕事につけることを願わざるをえませんでした。

三〇歳代で出会った友何人かと三十余年を経た再会経験を繰り返すうちに小さな発見がありました。それは「年齢がすべてを融かす」感覚で、肩肘張った姿勢が抜けるのです。三〇歳代は人生の「これから」と、自分の所属する団体、ときには国家をも背負ったつもり。軋轢と矛盾もかかえつつ、地位や金銭・名声だけでなく社会貢献への思いでいっぱい。今や互いに六〇を超え、衰えというよりは落ちつき、枯れではなく浄化され、まるでエキスが香る熟成の相手にわが姿も重ねられそうなのです。

電子技術で世界第一線の研究者を目指した青年が、今はソーラー発電で身近な電力自給に協力しています。大学の元学部長が今は週一コマの担当、石油や電力公社の責任者は経験を活かし教育指導などなど。また、会社設立や商い開業など多様ですが、競い焦る世界からは離れています。まるでそこには「世界老人共同体」があって、世界同時長命化（長「寿」にあらず）の中で永遠平和のためのヒントを生み出してくれるのでは、という幻想も浮かんでくるのです。

## 「今は幸せ」

再会相手の私生活も実に多様です。結婚し子どもや孫がいる、というケースは意外に少なく、近年の独り身傾向は日本だけでないかもしれません。未婚、離婚で独り身、目下同棲中、「彼女募集中」、「一人の生活が本当にいい」。また、別居し子ども三人を引き取っている人や、離婚した妻に子ども二人を引き取られ「さびしい、さびしい」と繰り返す人などといろいろです。

印象深いのは、米国留学中に結婚した友人。米国人の元夫人はプロテスタントなのでカトリック教会の挙式はできませんでした。さらには彼の父親は敬虔なカトリック信者で息子の結婚に反対、しこりが残り続けました。結局一年ほどで離婚。繊細で用心深い彼は地元の友人グループと毎週七、八人で食事会を開催しています。脳細胞の活性化と万一の事故に備えての連絡網作りだそうで、親しい二人には彼の部屋の鍵を渡し、異変のときは家に入れるようにしています。また健康管理にも注意を払い、毎朝三〇分は瞑想、自家用車は滅多に使いません。メキシコでは近い距離でも車やタクシーを使いがちなので珍しいケース。彼がホテルに来たとき、「日課の散歩コースをやめ家から歩きました。一時間以上の予想が五五分でした」とうれしそうに語るのでした。

連絡をしていなかったリベラ氏から突然電話がかかりました。私がメキシコ訪問を知らせた友人から、旧知のリベラ氏へと連絡が連鎖したのです。二人とも七〇年代後半に、日本で電子技術を学んだ元研修生です。電話をくれた数日後にリベラ氏は妻子連れで来訪、その後自宅に招いてくれました。ハラパ市北東にある新興住宅地で三ＬＤＫの平均的住宅です。マリア夫人からニンニクと鶏肉の出汁がよくしみたポソレ（トウモロコシのスープ煮込み）という家庭料理を振る舞われました。

彼は研修中の写真、研修先の団体の季刊誌への投稿、横浜の地方紙掲載記事などの紙媒体を電子化していて、パソコンでスライドショーとなりました。彼は帰国後、仕事上必要でないのに日本語学校へ五年間通い、三級検定にも合格。後述する全国日本語弁論大会でも受賞しています。その発表ビデオも電子化され、颯爽とスピーチする若き姿も画面に登場。その内容もまた印象深いものでした。帰国後に日本での研修先だった総合電子企業の合弁企業で勤務していましたが、偶然ある日、地下道で物乞いの先住民族の母娘の痩せて疲れ切った姿を目にします。彼はその直後に職を辞し、ホスピスでボランティア活動に参加、数年間、不治の病人やエイズ患者の世話を続けたのです。スピーチは「貧しい人、病に苦しんでいる人を少しでも減らしたい。しかし今も減らない」で結ばれています。今でもこの映像を見ると涙が出てくるといっていました。

リベラ氏はマリアさんが厨房にいる間、離婚と再婚の経緯を告白してきました。彼はその活動の終了後に結婚し再び電子関連企業の技術者として働きはじめます。各地への出張の日々が続き、予期せぬ事態で人生が大暗転します。というのは子どもを得て数年後、偶然から自分の子でないことが判明したのです。大変な衝撃と強いストレスで数年間悩み抜き離婚に踏み切りました。「極端に痩せ、衰弱して死ぬかと思った」ほどだったそうです。救ってくれたのがローラー式の背骨矯正治療による「背骨健康法」で精神回復にも有効とか。一〇年ほど前にマリアさんと再婚し女の子が生まれ、ようやく立ち直ったのでした。

自営の会社は中古の精密機械の整備事業、再利用技術を使いキューバとも技術協力中です。「キューバはまだ技術も経済も不充分で、私が指導や修理で出向き、向こうから技術者も招きます。先方は外貨事情が厳しく機械購入は大変ですから、修理技術の向上に力を入れています」とキューバの技術者たちとの写真を見せてくれました。別れ際、物静かに一言。

「この二〇年、生活は厳しくなりました。メキシコ人が働いた利益はアメリカやカナダ、そして日本に吸い取られています」

こうした意見で「日本」の登場は初耳。正直な意見に「親日家」の友情をむしろ感じるのでした。すぐ後の「でも、今はとても幸せ」が強く心に残りました。

駅への途中でスコールに遭遇しました。雨は滝と化しタコス店の広い軒先に逃げ込みます。すでに三〇人ほどの男女、ただ何となく行動が不可解です。豪雨が金属屋根をモーレッツに叩きつけ声が通る状態ではありません。だが、彼らは熱心にコミュニケーションをしているではありませんか。驚きましたが、すぐに手話と気づきました。苛烈な雨音の中で手指会話は実にいきいきと続きます。雨は二〇分以上続き路上は激流に、どす黒い空を見つめつつリベラ氏の半生の光と影を反芻しました。小降りになって駅へ向かい、帰宅してパソコンを開くと先ほどの訪問時の家族と私の写真がしっかりと着信しているのでした。

## 人間国宝を訪ねる

メキシコ有数の観光地で世界遺産のグアナファアト市への三五年ぶりの訪問。以前来たときの印象はもっと素朴で小振りの田舎風、また夜は暗くて近寄り難いという記憶です。今回は明るくツーリストもいっぱいで華やいでいます。以前は夜のひとり歩きで自らの影が古い壁面や石畳に大きく映り、キリコの画面に入り込んだ気分でした。

訪ね歩き三〇〇ペソの古風なホテルへ。内部も古くほかに客が見当たらず、高天井、きしみ階段とお化け屋敷風です。部屋に入った後、こわごわ廊下を歩くと板がめくれ共用トイレの電灯もつかず、持参の手動式懐中電灯が効を発揮。だが幸い怨霊の訪問はなく蚊取り線香の力で熟睡できたのでした。

翌日はまず別のホテル探し。ようやく移ったダンテホテルの展望階のソファにて旅でくすんだ爪を切っていると、突然三〇歳前後のアジア系の女性が上ってきました。台中市出身で人なつこいメイさん。ニューヨークで三年ほどジャーナリズムの実践活動後の帰国途上で、対人距離が近くて戸惑います。すぐにもうひとり同年代の一人旅の女性、ソウル市出身のヒュンさんも仲間入り。メキシコは二回目、メイさんとは対照的で地味で物静か、小声で発音も聞き取りにくいです。アジア人女性の一人旅に隔世の感で驚きを禁じ得ません。一九八〇年に約四〇日間の南米七カ国ひとり歩きしましたが、その間、出会った一人旅女性は全員が欧米人。彼らには自立心があるなと思いましたが、今や世界のトレンドのようです。ふたりとも米国生活が長いせいか物怖じせず、率直な雰囲気で旅談義が弾みました。

朝食はホテルオーナーの母上の手作り料理。彼女はかつて私が留学した際の下宿先の主人「メキシコの母」マリさんという女性に、顔立ちもしぐさもそっくりで親しみを感じます。私の原発話題に「マリ」さんもしっかりとついてきて、しかも「原発は将来や子どものことを考えるとよくない」と断言、ますます気に入ってしまいました。

朝食後、ふと思い出しゴーリー氏宅に電話。彼は陶芸家で日本風にいえば人間国宝です。電話では女性秘書が出て、すぐにゴーリー氏夫人へ。岡山県出身の日本人で話題も豊富、メイさん、ヒュンさんの同行も可能か尋ねてみました。すぐに快諾、さっそく三人で訪問です。ホテルから徒歩二〇分ほどの近さに何とも縁を感じます。メイさんはジャーナリストらしく先頭で次々と通行人に所在地を質問し、たやすく家に着きました。全体が高い塀に囲まれたお屋敷です。秘書に案内され夫妻の待つ部屋へ向かう途中、数々の陶器類や絵画の展示が続きます。メイさんはそれを見て「ミニ博物館《ムセオ》！」と感嘆。

夫妻は来客者によく気を遣う優しい人たちでした。英語を交えたり、夫人は適宜二人のために通訳したりの配慮。ゴーリー氏は片足がやや不自由で杖の生活ですが、終始笑みを絶やさずゆったりとしたスペイン語で、外国人との交流の多さを感じさせます。

メキシコ国内にあふれる大壁画や原色画を多く見た目には同氏の作品はやや地味な感じです。彩色やデザインには日本留学での備前焼研究の影響があるのでしょう。同行の二人も陶芸は門外漢、ただ東アジアの陶芸文化と教養のせいか、質問も感想も的を外れず夫妻も満足げです。「ミニ博物館」案内では彼から自作品の説明は無し。他作家の作品に時間を割かれその謙虚さがむしろ印象的でした。二時間ほどの訪問でしたが「次回にはもっとゆっくりと」と見送られ恐縮しつつ感謝しました。

## 全身遺跡の街にて

このグアナフアトで鉱業が専門の一九七五年の元研修生レネ氏に会えるでしょうか。彼の研修中にもらった古い名刺の住所を見て地図で調べるとホテル至近！　なんとホテル前の石畳の坂道を約一五〇段下った道路のすぐ先が家で、これは「会える」予兆かと？　方位風水は信じませんが、旅ではこうした偶然に驚かされることもあります。

転居を予測しつつも地図を見て歩くと急坂から地番が飛躍してしまいました。坂を下る人に名刺を示し尋ねると「確かにこの辺ですが、さて？」の連続。しばし周囲を巡り、小丘を仰ぐと樹木繁茂の先に家があります。

何度か呼ぶのですが反応なし。あきらめつつ絵はがきにメッセージを書き、小石をのせ金網扉の下に置きました。立ち去ろうとすると、夕風がさわぎだし伝言メモが吹き飛ばされそう。力を込めてこれ限りと一声を張り上げました。

と突然、上方の樹木の間に大型犬が現れ、猛烈に吠え急降下のように降りてきます。金網は高いのですが後ずさりの体。すると木々の後方に二人の若者の姿、犬をなだめつつ脅える異邦人へと駆け降りてきます。簡単に自己紹介をするとすぐ扉を開け「レネは家にいます」と返答、「今、ここに？」と聞き返します。二人は長い石段を家へと案内してくれました。入れ替わるように満面笑みを浮かべた巨躯の出現。お互い白髪、そして彼の巨漢ぶりは予想的中です。この家は彼の実家で、今は彼のお姉さんが病床に臥っているそうで、偶然わが訪問と彼の帰省が重なって再会が叶いました。二人の若者は甥で、一人は「日本語を習っている」と誇らしげに改めて日本語で挨拶。

急な来訪で挨拶だけのつもりでしたが、「郊外の自宅へ帰るから街で食事しよう」と誘われます。車での街案内の後、観光客であふれる広場の屋外レストランへ。賑わいとキャンドル風の照明群が再会を祝し、晴れがましい気分でした。

日本で鉱業技術の研修中、私が銅鉱山の地下底まで訪ね研修状況を確認したことを、彼はよく覚えていました。当時私としては業務として当然に研修現場がどこだろうと訪ねましたが、彼には、奥底まで自分を訪ねて来たことが忘れがたかったのでしょうか。彼の「坑道奥での二人の写真を今でも見るよ」は、リップサービスとしてもありがたく、四〇年近く前のことが、昨日のことのようでした。

彼が研修終了後に作成した分厚い報告書は、研修成果の好事例として周囲で高く評価されました。当時そのコピーを私にも贈呈してくれたのですが、ただ不覚にも彼の「レポートを覚えていますか」の一言で思い出したのでした。それを繕うように「今も受入企業では研修指導の参考書でしょう」とエールを送りました。

彼はメキシコへ帰国後カナダの大学で修士課程、メキシコで博士課程を修めグアナファアト大学（UG）鉱山学部の教授に。「メキシコ全土に出張しました。約二〇年間は鉱業現場で、後の約二〇年間は大学で指導研究です」と話し、充実した半生がうかがえました。「もう六一歳、あと四年で定年、疲れたので少しゆっくりしたいです。今は旅行さえしたくない気分です」。

疲れたというのは偽らざる気持ちでしょう。専門分野の性質から現場は教室だけではありません。それこそ坑道奥ででも指導するわけです。彼は義理堅くかつての日本語教師の近況も尋ね、斜陽の研修先企業の今後も心配していました。

一方で自国の現状には批判的でした。

「NAFTA後は貧富の差が拡大しています。米国は売るだけで当方は買うばかり。私も兄弟姉妹こそメキシコ各地に在住ですが、甥や姪はカナダ、アメリカ、チリなどに住んでいます。。学生は学業よりネットに明け暮れているのも少なくありません。学部は一クラス二〇人くらいで教育環境としてはまあまあですが、奨学金が少なく学生の生活環境も厳しく、一〇人で大部屋をシェアすることもあります」

家庭にも触れ、少々前に離婚し今は一人住まい。「でも、交際中の人はいます」と同棲状態をにんまりと明かしてもくれました。四〇年ぶりの再会をあきらめたのがギリギリでつながっただけでも大きな喜びでした。

## ミツエさんとカズコさん

メキシコ滞在四〇年近いミツエさんとカズコさんは、お互いに面識がありませんが多くの共通点と対照性があります。ともに一九七〇年代中頃、政府交換研修生と結婚してこの地の人に。私は初赴任地の横浜でミツエさんと夫のフェルナンド氏に、数年後、本部へ異動後にカズコさんと知り合いました。ミツエさんはグアダラハラ市で長く日本語の教員、最近は通訳・翻訳者、カズコさんは三人の娘の親で、メキシコ市の老舗の日本語教育機関の責任者として活躍中です。

カズコさんからは表から見えにくい話も聞きました。当地では「よくぞそこまで」という政策も強行。たとえば渋滞対策ではナンバープレートの最後の数で車が使用できる曜日を制限。ところが金持ち連中は連日使用したいため車を何台も追加購入。巷では、政府と車メーカーは結託して新車購入促進のため制度を導入した、との噂だそうです。ケレタロ周辺でも日本企業などとの車関連部品製造業ばかりが目立ちます。一般市民により必要な、自然エネルギー促進事業、公共交通整備の関連製造業、農産物加工で付加価値を高めるためのインフラ整備、地物や伝統薬製造などは軽視されていると、カズコさんは残念そうでした。

一方ミツエさんは息子さんが三人で、うち二人は日本留学し日本語は通訳レベル。一人は日本滞在中で駐日大使館に勤務しもう一人は帰国後、日系企業スタッフです。二人とも連れ合いは、父親のフェルナンド氏の薫陶を受けてか日本人女性。二人の滞日中は市民活動や平和運動にも参加し、このへんは母親の社会意識の高さを受け継いだようです。

ミツエさんもカズコさんも、それぞれ、私が長らく労働組合や地域、NGO・NPOの活動に関わっているのを過大に評価されます。ですから「あなたは海外で三人ものお子さんを元気に育てあげられ、それは並大抵の苦労ではなかったでしょう。それに比べれば私の諸活動はたいしたことではありません。諸活動も大切ですが、命を育てるほどのことではないのです」とリップサービスでなく心から敬意を表しました。

私の来訪がきっかけで、ミタニ氏夫人ドロレスさんの実家のあるメキシコ中央部のイラプアト市で、旧友のミタニ氏一家とミツエさんの家族との会食が持たれました。お互い四〇年ぶりの再会でドロレスさんも楽しそうでした。双方から「あなたのおかげで再会できた」と感謝され、ただ懐かしくて訪ね回る身としては恐縮するだけでした。ミツエさんからの自宅招待は七月中旬に実現しました。

グアダラハラ市のミツエさん宅は小丘のゴルフ場に接した新興住宅地域の一角。夫のフェルナンド氏は四、五年前に石油公社《PEMEX》を定年退職、ライフワークとして技術論文に取り組み中。彼は多才で横浜での印象はギターの名手でした。温かい人柄で皆から好かれ、センター在住の研修生約一〇〇人と職員とで構成する自治会長にも選ばれ、その縁で食堂職員のミツエさんと親しくなったのです。

彼とは四一年ぶりの再会ですが、ほんの数年ぶりのようです。敷地も家も彼の設計という自宅を案内してくれました。親友五人と広大な敷地を購入し、瀟洒な六戸建の中央には六家族共用のプールがあります。

夜はホームバーで元食堂スタッフの彼女手作りの天ぷら、焼きナス、カニ、焼き肉などの和食を味わいつつ語り合いました。明るくて社会関心も高い子どもたちを異郷で育てあげた努力に改めて敬意を表しました。

翌日は夫妻に「フクシマ」を語る予定でしたが「隣家の移住日本人家族も一緒に」と提案されて訪れます。三〇〇坪ほどの庭、そのテラスで資料を広げ現況を説明。七〇歳前後の気さくな隣人夫妻は有機野菜や豆腐作りが趣味なだけに関心が高くて話がいがありました。

その夜はミツエ夫妻と市内中心地のライトアップされた観光名所巡り。マイカーが故障したため二人にとっては珍体験の路線バス往復で、若夫婦のようにはしゃいでいる様子は微笑ましいもの。夜も更け帰りのバス停を探し回りようやく乗り込むと満杯。車内には売れ残った花を何本も抱える中年男性、土産や商品を手にした人も多く生活臭あふれる空間。ふと、その男性から花束を買うことを思いつきました。疲れの色の見えた彼はまさかの車中客にわずかに表情を緩めます。ミツエさんへのお礼としてそれを贈呈。無粋者でもまれには気づくのだな、と花売り氏に感謝するのでした。

## 熱気あふれる「ミツエ」学校

翌日はミツエさんと一緒に彼女の勤務先、グアダラハラ市アナルコ地区の日墨文化交流学院（ＩＩ

CMJ）へ。名称はメキシコ市の日墨文化学院（ICMJ）と酷似、ただ協力関係にありますが支部ではありません。アナルコ地区周辺はかつて日系人が多住しており、戦前、日系人会が家族向けに日本語を教えはじめました。戦後はメキシコ人も迎えて発展し活気一杯、学生であふれています。数年前は在籍者二〇〇人半ば、それが五、六年前から急増し今や四〇〇人超。教師らも「なぜかわからない」と不思議そう。「日系企業就職のためでは？」と尋ねると「多少はそうでしょうね。ただ、直接的動機でもないようです」と。かといって多くがアニメ・ファンでもなさそうだし。

学校の説明を聞くうちにその理由が想像できました。行事がとても多いのです。日本の四季、歳時記よろしく次々と催しが展開され楽しみながら日本文化体験ができます。課外活動、絵画や音楽、運動会、盆踊り、エイサー大会、球技大会、秋祭り、定期的に調理室で日本料理教室も企画。ミツエさんの三人の息子はともに同校卒業生で、三男が描いた絵画は今も廊下に展示中。卒業生が教員として戻ることも多く彼もまたその一人でした。親子、兄弟姉妹、親族でも通学している人が多数いて、大規模なのにアットホーム。全国日本語弁論大会でもよく上位に入賞しています。教員は日本人八名にメキシコ人六名の充実ぶり。奨学金のほか、清掃など業務を手伝うと授業料減免のユニークな制度があります。これは日本留学中にピース・ボートで活動したご子息の提案かもしれません。悩みは教室不足で、前庭を青空教室として利用しているほどです。

訪問日は夏休み前日で約五〇人が大教室で最後の授業。休暇前のうきうき気分で記念撮影中。黒板前に並んだり、グループでケータイカメラを向け合い打ち上げモード。さっそく生徒に学習の動機などを尋ねます。

「活動が楽しい」と大学生、「雰囲気がいい」の声も、「学びが楽しくて来る人がほとんどです。日系企業の就職につながる人もいますが、それが目的の人はあまりいません」との教師の話が納得できました。

心に残ったのは同校が二〇一一年の東日本大震災と福島原発事故の支援活動に取り組んでいたことです。二〇〇〇人集会やカンパ活動、また岩手県大槌町などへも資材や子ども用衣類などを送付。私も同町に支援に入ったので不思議な縁です。ミツエさんの姿を発見して駆け寄り挨拶する人が続きます。かつての教え子も今や教員、多忙で最近学校に顔を出せない彼女と久しぶりの会話で皆さんとてもうれしそう。

校長は夏休み後の十月初めの「フクシマ」講座の開設に即座に賛同されました。しかし、結局帰国予定との調整上、今回はあきらめざるを得ませんでした。帰国直前、丁重にお詫びの連絡をし次に期すこととしました。

翌日もミツエさんに名所案内してもらいました。最初はサンファン・デ・ディオスの大市場、ミニ食堂が二、三〇〇は並ぶ壮観さで大変な盛況。次のカバージョ孤児院を展覧会場に転用した施設では案内人が何十枚ものオロスコ壁画を一枚ごとに丁寧に説明します。ツーリストの外国人を次々と指名し感想を聞いて説明に活かし、アートのような見事さ。ただ、長距離バス時間が近く途中で抜けざるを得ません。離れ際、参観客前で彼の説明の素晴らしさにふれ、「次回は最後まで聞きます」と非礼を釈明しました。彼はまったく不快さを見せず笑顔のまま。途中トラケパケ地区ではフェルナンド氏が合流し案内。東京の浅草、京都の百池のように、この大都会発祥地が彼の出身地で、生粋のタパティーヨ（グアダラハラっ子）は説明に力が。二人とここで別れバスターミナルへ、チワワ市への約一六時間のバス旅の開始です（後述、第四章）。

こうして、再会した二人の女性はこの地で確実に人間関係を深めてきました。今回、各地で初見の人と話すうち、この二人と知り合いということがたびたび。たとえば、大学教員などとアポイントをとる電話中、先方から「あの方にはお世話になりました」と言われ一気に話が進むこともあったのです。

## 三九年目のセレモニー

帰国直前の一〇月のことです。大変お世話になったミタニ夫妻に挨拶のためイラプアト市に向かいました。家に到着してすぐ「今日は三九回目の結婚記念日でミサとお祝いの会が教会で開催されます」とのこと。

近隣の教会の入口でまず一〇ペソを寄付。参会者は約一三〇名、夫妻だけのお祝いではなくほかに一〇代の子どもたち二、三人の誕生会も一緒です。プロらしいバンド数人がマンドリン、ギターなどを見事にこなし、少年少女十数人による合唱とハーモニー。ただ、見渡すと歌っている人は一割くらいでほかは聴くだけ。ついジェンダー・バランスが気になり正面の聖なる群像に目を移すとここは男性が圧倒的。十字架上のイエス像が一番右に、聖フランシスコ像がその左手、聖人像に続き再びキリスト像。そしてようやく地母神たるグアダルーペの聖母像がその隣でイエスに寄り添います。

若い女性の短いスピーチの後、四〇代くらいの神父の語りはメリハリがあって聞き取りやすいです。宗教的背景のない自分には教会講話は語彙も表現も難物。よく理解できるのは例外なのです。彼は新約聖書の「パウロの手紙」を引用し、ブドウ園やワインの熟成を例に、神が愛を込め創造した大地、動植物、そして人間、またこの世の美しさ、素晴らしさを讃えます。よく聞かれたのが「ブドウ園」(viña)と「果実」(fruto)で、こう締めくくります。

「六、七〇年の人生、家庭や社会で今まで何をしこれから何をするか。苦い果実も神の手で希望の果実に。聖フランシスコの生き方を知れば満足でき調和した人生を送れるでしょう。独身であっても誰とどう生きるかが大切で、すべては美しき(bonito)ことなのです」

生涯独身だったこの聖人は、家庭がほしくて悩む弟子に心に素直に生きるよう諭しました。ただ神父が独身話を持ち出すのは「結婚三九周年」集いへの言葉としては不似合では？　しばらく考えるうちに納得の糸口を発見。実はドロレスさんはこの数年で兄弟を事故や病気で亡く

結婚39年祝賀式。神父とバンド(イラプアト市の教会)

しています。仲睦まじき夫妻でも、いずれは独り生活に戻るわけです。おそらく神父は彼女の家庭事情を熟知し老後の平安を暗示したのでしょう。

講話が終わると聖書の一節を全員で唱え起立と着席の繰り返し。その後、夫妻は神父の前で「聖なる契約」「新しい婚姻の契り」の言葉を受け、手を取り合って誓います。募金集めの四、五人が会場を回る間、神父の前で二人は跪座。それが解かれ神父につき添われ会場を歩き、列をなす参会者たちと握手していきます。参加者で列に並ぶのは半数くらいで、あとはいろんな方向に目を向け、夫妻の娘も写真担当で忙しく並ばずじまい。意外だったのは教会での祈りが両手指組よりは合掌の人が多数だったこと。何か古き伝統との深層での通底か？　会は一時間半で終わり夫妻と街に出ます。夜九時半に高齢者が外へ繰り出すのはメキシコ風、低血圧で夜行性の私には歓迎。

今日はかの聖人の記念日、中央教会周辺には夜店が並び大変な賑わい。広場前の食堂で軽食中、ドロレスさんは「四〇年前この町で日本人はヨシト一人でした」と時代の変化を語ります。今や何十人もの日本人児童が日本人学校で勉強、ミタニ氏も週末ボランティアで指導中。帰宅しようとしたとき広場では花火ショーの準備がはじまりました。真夜中近いスタートはいかにもメキシコ的です。

翌朝、バスターミナルの待合室で昨夜何とか押しつけた寸志を「一部で結構、多すぎます」とミタニ氏から返却されます。引きとどめ、自営会社のイチゴ商品の購入とその送付代金とすることで納得願いました。

バス内での「強制テレビ」上映は珍しくヒット作品の『ダ・ヴィンチ・コード』。二人のお祝い会を思い出しつつユダヤ教や諸信仰を源として誕生したキリスト教の持つ鮮烈なインパクトを改めて認識。この作品に限らず、聖俗、生死、復活・再生と輪廻、その流れをたおやかに照らす広い愛という究極のコードに思いは巡るのでした。

## メキシコの土に

再会とは別に初めての出会いもあります。メキシコ全土で展開する日本食品店の日本人オーナーとは、店頭で立ち話の間柄となりました。ツチヤ氏は長野県川上村出身、二〇代前半に徒手空拳で渡墨、ここまで築き上げてきた人物です。休日には一階から三階までフルに日本食フェスを開催、肩がぶつかるほどの人出。焼き鳥、麺類、てんぷら、すき焼きなどと和食が手ごろな値で満喫可能。オーナー自らがコーナーに立って客サービス、味もスタッフの接客態度もいき届いています。

ある日の閉店間際、食堂の片隅で同氏が中年男性と二人でテキーラを前にゆったりと談笑。私が最後の客として店を出ようとするとツチヤ氏から「どう一杯」の声をかけられました。気さくでおもしろく長年の異郷体験から気配りと豪胆さ兼備の人です。テキーラ片手に酒の肴は「二時間前に自宅に強盗が入りましてね」と、まるで他人事。家には奥さんと幼い孫二人がいて強盗は物色して素早く立ち去ったようです。「よくあることですよ。私が明日誘拐されても別に驚くことではありません。ともかく心配は孫のことで、けがもなく安心しました」。本人は大至急自宅に戻ったりせず部下二、三人を派遣。「私にはここの仕事がありますからね」と飄々とした様子に驚きました。

その場に同席していたもう一人がヤナギ氏。その後何回か店で顔を合わすうち、彼からお誘いを受けました。閉店しオーナーらが帰っても彼は居残って話は止まりません。オーナーとは長年の経営協力で店は彼の自宅同然。私の訪墨目的を知り、思いを真正面から切りだされました。

「日本語教育者、NGO・NPO関係者に、『メキシコに変なやつがいる』『一生懸命にやっている』ことを伝えてほしいですよ」。すでにかなり酩酊、やや険しさも含んだ表情で真剣です。軽くなった口元から語られる在住三十数年の経験談はキーワードも明瞭、忠告や警句を含んでいます。

私とヤナギ氏とは同年代で同じ北陸出身、彼は子どものころから肥やしを汲んで親と農業の共同作業。比べるべくもないですが私も子ども時代に自宅の排泄物汲みで、技術者の父親の家庭菜園を手伝っていたので話題がつなげました。「日本人の来墨者は中途半端ではだめ。言葉ではなく身体を一緒に動かすことでその人の真実がわかる言うより行動、言葉で人を見ないことが大切」。彼は何度も口にしました。

彼はメキシコ人妻とは別居中で、成人した二人の子どもとも離れ一人住まい。そこで「男は種馬で、生まれた子は母親の国の子です」との名セリフが飛び出します。彼の子どもたちはアメリカン・スクールで学ばせたので日本語ができません。「外国語は本当に習いたいときに学べばいい」には賛同できます。実際、会話で重要なのは流ちょうさより実体験の深さと心を込めること。とつとつでも懸命さが言語種類を超え相手の琴線にふれます。実子と母語会話ができないのは老境を迎えさびしいものでしょう。母たる存在は強くとも将来、父親の尊敬できる点を発見すれば、子どもらも日本語を学びはじめることもあるでしょう。彼にもそう伝えました。

彼がもっとも強調していた点は次のことでした。

「メキシコ人をなめてはいけない。短期滞在の記者やセンセイ方が帰国後しばしば安易な判断でメキシコ人について悪く書く。『よく知りもしないのに悪く書くな！』と強く言いたい。連中は、社会の基本構造が日本と違う点に無理解だ。被征服国、長く植民地で生きぬいた国のことがまったくわかっていない。搾取に次ぐ搾取、生き残るため支配者をごまかす必要に駆られたことがわかっていない。うちの店（彼は経営協力者）でも万引きが多いけれど、見つかった時点で品を返せば多くは無罪放免だ。こうしたことを日本人はすぐ道徳問題にする。道徳の前にまず生きねばならない現実がここにはある。経営者は客だけでなく店員の万引き分もコスト計算に入れ経営計画をたてている。またクレジットカード手数料率が一〇％以上と高いのも踏み倒しを計算に入れているから。発覚したら、利用者の資産で損失をカバーして罪を回避できる。一部、罪になる州もあるが他州で五年間潜めば時効でＯＫだから自己破産制度もない」

彼は当地の問題も率直に語りつつ、なお「なめるな」「悪く書くな」と繰り返します。私は悪感情がないので悪く書きようがないのですが、この拙文にも悪口調があるのかもしれず彼が読んだらどう思うのでしょうか。

彼は「三〇年以上お世話になったメキシコに何とか恩返しをしたい」と強調します。有機野菜の生産も計画中で息子が共同経営するレストラン屋上では十数種類の菜園づくり。屋上に案内され野菜の泥を拭い生でいただき、春菊などは一階の厨房で即天ぷら、日本でも味わえない風味を満喫しました。

また一方で、「新潟の山間部の緑、特に五、六月の美しさは忘れ難い」と望郷の思いも語ります。

「二つの祖国」――出生地とやがて土となる大地、それぞれの輝きを心に秘め彼は夢の実現を目指すのでしょう。私は彼が余生をそれにかけ、それなりの満足感をこの地でえられることを願わずにいられませんでした。

彼は日本の自殺者の多さに心を痛めて強調します。

「帰国したら伝えてくれ。『死ぬな！　どうしても死にたいのなら一度メキシコに来てみろ！』と。ここには耕す土地がいっぱい。来たなら俺が何とかする。借金を踏み倒して航空券だけ買って来い」

帰国直前に最後に会ったとき、かなり酔った彼は別れ際にこう言い添えました。「本当の教育とは、生きることを学ぶことだよ」。それは、異郷の地で多種多様の職業を転々、したたかに生き今や永住の地を愛す元日本人からの日本の仲間への呼びかけなのでしょう。

## 悲しき「再会」

今回、年上世代とはさびしい「再会」となりました。留学時代の下宿先のマリさんは、「日本人は米を食べたいだろう」と、粥状でしたがよく米飯を用意してくれました。彼女は総入れ歯を外すと会話がモゴモゴになり、よく聞き直すのですがかわいい感じが増します。今回プエブラ市の再訪時に長女のシルビアさんに生前最後の写真を見せてもらい、成人した孫のエクトール君も立ち会い合掌しました。「マリ、ムーチャス・グラシアス」。

マリさんは「私はあなたのメキシコでの母だよ」が口癖。四年前の他界時は九七歳で留学当時は六六歳、ほぼ今の私の年齢なのでした。いつも食事をしていた玄関横のダイニング・キッチンで娘と孫の二人とマリの思い出を語り合います。お茶を味わっていると窓先に大きな虫が飛来。動きが奇妙でよく見ると緑に朱を染めたハチドリでした。動物好きだったマリさんからの挨拶かもしれません。

チワワ市のマニュエル氏も存命ではありませんでした。三五年前、北部メキシコの旅行中、列車の前席の青年が「日系人経営の薬局がある」と教えてくれて直後に訪問したのが最初の出会いでした。幼いときに両親と移住し成人後、鉱脈探し等さまざまな仕事を経験。生涯最後の仕事が先住民族の薬草も含めたユニークな薬局経営で軌道に乗っていました。薬局内は博物館展示のようで、乾燥ガラガラ蛇の尾の先端が天井から何十と吊り下がり目を引きました。享年九一歳、「最晩年は認知症」と息子や孫が語りますが明晰な人でした。博覧強記の彼は秘薬を使い認知症を先送りしたに違いありません。ガラガラ蛇のミイラのカラカラ音が彼の滋味あふれる笑顔にまざって思い出されました。

もう一息で会えそうなケースもありました。グアダラハラ市のマリン氏は一九七四年に来日し著名な電器会社で研修。一九七九年、彼の実家に招かれ、話題が日本での研修開始前のオリエンテーション・クラスのことに。彼は私が担当の『日本紹介』講義の内容を「記憶に残った」と振り返り勇気づけられました。

それは私の母のふたつの体験を語ったものでした。ひとつは戦時中の空襲体験。一九四五年八月、当時人口一〇万ほどの街で死者約三〇〇〇人、富山空襲は高い死亡率で知られます。周囲を火炎で包囲されふとんを小川で濡らし身体に覆い、親族の老女をかばい逃げ回ったのでした。もうひとつは、四〇歳ころに突然下半身が麻痺しその後二〇カ所以上も転院を続けました。長年原因不明で、やがて母が常々切り抜いていた新聞記事がキッカケで薬害と判明。その原因は製薬大企業と厚生省（当時）一部官僚との癒着であることを説明。薬剤をチェックすべき役人が天下り先の大製薬会社に甘い審査で有害な薬を認可したケースでした。これはスモン病と呼ばれ被害者は二万人以上、日本薬害史上でも最大の薬禍といわれます。空襲と薬害、この二事例は肉親の個人的な体験です。ただ、外国人が日本の歴史や現代の課題を知る上で重要と考え説明し、それを彼は覚えていてくれたのです。

今回、彼の旧住所が区画整理などで変更し、同市在住の友人が調べましたが地図で特定できませんでした。ネットなどで彼がグアダラハラ大学の教員だったことにはたどり着けましたが、数年前に定年退職、退職記念会の写真までもアップされ老境の彼と「片方向再会」。ただ連絡先はつかめず時間の制約で今回の再会はあきらめました。彼が学生たちに日本をどう伝えたのかを聞きたいものです。

第三章

# 原発反対・ダム反対の現場から

――メキシコ市からハラパ市の途上

名峰マリンチェ。35年前に見た稜線の美しさ、青霞のかかった山容はいつまでも忘れ難いもの。その姿は幻想的で、おとぎ世界が出現したような感激がありました。

## 「フクシマ」と日本語教育

以下、各地で「フクシマ」を伝える日本語講座を続けた日々をご紹介します。メキシコには日本語教育機関が約一〇〇カ所、その約三分の一が大学の学科でほかは外国語教育機関です。打ち合わせや講座実施のため、さまざまな地を幾度と訪れました。今回の滞在では首都メキシコ市のほかケレタロ市（五回）、プエブラ市（三回）を訪問。また、ハラパ市（三回）は原発立地に近く、長めの滞在でした。

講座内容は日本社会をリアルに紹介することを目指しました。私は自宅のある千葉県松戸市で、四〇代から市民活動紹介の月刊誌の発行ボランティアに参加しています。東日本大震災以降は地元市民とともに福島被災地の支援活動に参加し、メキシコでも原発事故の現状の紹介を交流のポイントと考えました。日本は大失敗をどう克服しようとしているか、その障害は何かなどを一緒に考えることが本当の交流、という思いからです。

事前のコネがない機関では、ときにはアポなし訪問もありました。コネなしの「不審者」からの電話に対する先方の理解を得る上で、予想外に功を奏したのは拙著の贈呈でした。世界の民族集団の移動史『民族の歴史を旅する――民族移動史ノート』（明石書店、一九九二年初版、九六年新版）は、メキシコの写真も掲載。日本語教材としても利用可能と日本語教育機関や大学に贈呈することにしていました。日本では近年ブログの文章をもとに出版する人も増え、一昔前のように自著出版への稀少感覚は減じています。ただ同国では、まだ特別に見てもらえるようです。コネのない電話では相手からは「本当は何者?」との疑心ムードも。新手の詐欺かまがい物セールス、あるいは裏の意図が、と思われたかもしれません。しかし、「留学経験からメキシコも紹介した本を書きました。スペイン語版はありませんが日本語の学習用にでも」と説明すると反応がガラリと前向きに変わり、拙い書籍も役に立ってくれたのです。

メキシコでの日本語教育全般について、在墨の国際交流基金のカメイさんからは、居住三〇年の体験も含め参考になる指摘を受けました。日本語教育機関のほとんどで教材は『みんなの日本語』(スリーエーネットワーク)を利用。日本政府の協力は国際交流基金が相手国での教員育成、JICA(国際協力機構)が生徒対象の専門指導員派遣と役割を分けています。ただメキシコはすでに先進工業国の扱いで地方の日本語学校には政府系の日本人教師がいません。話を終えた後「図書室に保管します。論文的内容の日本語文献を借りに来る人は少ないですが」と拙著を快く受け取っていただけました。

## メキシコ市——地下に遺跡と火山群

講座開催で最初にお世話になったのが老舗中の老舗、一九六八年のメキシコ・オリンピック大会がきっかけで設立された日墨文化学院《ICMJ》です。当時、日本人選手のアテンド要員や来墨日本人と接するメキシコ人に対して、日系人らが中心に日本語指導のボランティア会が誕生しました。五輪終了後、解散するのは惜しいとの声が多く開校の運びとなりました。現在の校長のホズミさんは旧知で来墨前から連絡し合っていました。ここは老舗校だけに、卒業生で学習再チャレンジの人も多く実践的会話のリフレッシュ需要もあります。さっそく、両国交流の拠点、日墨学院（ＩＣＭＪとは別、通称「リセオ」）で年一回開催される日本語弁論大会へ招かれました。

## 日本語弁論大会の風景

五月下旬、大会には全国各地からの参加、プエブラ州などは大型バスで大挙乗り付け会場を盛り立てます。このリセオは一九七七年、当時の田中角栄首相が訪問みやげとして建設を約束したもの。講堂や運動場まで備わり、広い中庭は大会のレセプション会場となっています。ところどころに「整理整頓」ポスターや「スローガン」が貼られて、まるで日本の小中学校の廊下や教室の壁標語のようです。かつて、海外の研修生たちを小学校に案内すると「工場標語ですね」と言われ苦笑したのを思い出しました。小学生から品質管理運動の訓練との直感、鋭い指摘でしょう。

さて、五〇〇人収容会場は満杯で熱気むんむん。各地の学校から選び抜かれた精鋭たちのいわば決戦場、その名誉を担っての晴れの発表。そのため競争心が過熱せぬよう所属学校名も州名すら事前には知らされません。配布された日本語とスペイン語の案内にもテーマの要約と氏名だけの印刷。発表は中・上級の二部構成で持ち時間五分、それぞれ十数人の参加者から順位を決めます。なお、日本語教職経験者には参加資格はなく日本留学経験は不問です。

日本式の標語の列（メキシコ市の日墨学院「リセオ」）

すべてを聞き終えてその発表態度、内容、発声と発音ともにかなりの好印象でした。ある日本留学体験者は日本人の電車整列から交通モラルの高さを、また街のゴミの少なさをうまく要約。別の学生は非常な努力で会社経営者となった友人がテーマ。貧困家庭で夜間学校に通い三つの仕事を掛け持ちして家族も支え、電子部品の販売からやがて製造もはじめたのです。結論は、「環境は厳しくとも努力で克服できる」とサクセストーリー的ですが、友への敬愛が込められ紋切型ではありませんでした。

　その後に審査結果発表と講評。壇上の審査員は日本大使館の文化担当官、日系人協会や在住日本人の諸組織からの十数人で時間をかけ順位を検討。いずれの発表も充実しており審査も大変でしょう。委員長は同世代の元職場の同僚、メキシコ人の元研修生と結婚し三〇年ほど前に移住したナオイさん。流麗なスペイン語で解説、ジョークも巧みで会場が沸きます。

彼女は「皆よくでき、順位づけは大変」と私同様の印象のあと、具体的に発音や言い回しなど細かに指摘。その後、上位者たちに賞の授与があり約三時間の熱演が終わりました。

多忙なナオイさんですが三〇年ぶりの再会、教師の会合の合間に中庭で活躍ぶりを聞きます。

「トレホさんは元気？」

トレホさんとはわが友人でもある彼女のパートナー氏のことです。

「定年退職し頭はサッカーのワールドカップのことだけですよ。今日は友人の誰それと明日はと、連日試合観戦ばかり。男同士って集まるのが好きですね」

「反対にご自分の方は仕事で忙しそうですね」

「大学での日本語教育のほかに、日系企業の激増で子弟の補習校の手伝いも。首都へも日帰りが多いです」

彼女の自宅は第三の都市で米国に近い北部のモンテレー市、飛行機だけでも約二時間、同世代でたいした活躍です。

大会パンフを見直してみると日墨文化学院《ICMJ》校長のホズミさんが事務統括責任者。二人が当地の日本語教育の中心人物と知り、その努力へ敬意を表しました。意外だったのは大会の参加者数が今回以上の年もあったことです。また、壇上での公式発言にこそ出ませんでしたが、個人的な話では発表への評価は意外と辛口。私は率直に「素晴らしかった」と伝えましたが二人はうれしそうでもないのです。そこで一部に既発表と似たものがあったのではないかと推測しました。また各発表後の審査員と発表者との質疑応答タイムで聞き逃しや誤解が見られた点もあるのでしょう。ベテラン日本語教師たちは彼らに聴衆の前でもっとてきぱきと回答してほしかったのかもしれません。

## 日墨文化学院《ICMJ》とメキシコ国立自治大学《UNAM》でのフクシマトーク

メキシコ市では、日墨文化学院《ICMJ》だけでなく一番影響力のあるメキシコ国立自治大学《UNAM》でフクシマトークの機会を持ちたいと考えていました。文化学院《ICMJ》では特別講座開設に理事会の承認が必要ホズミさんに労をとっていただきました。また、自治大学《UNAM》の方は彼女からゴトウ教授を紹介され五月中旬に大学を訪問。教授は私と同年代、哲学者然とした人で幸い拙著を快く受け取り図書館に収めていただけました。講座開設は「こちらの大学は自治権が強く、教員の計画案は届け出だけで学部長などの承認は不要」で即ＯＫ。ただ、近日中に学内試験、その後夏休みに入るので講座は八月以降を勧められました。こちらにも好都合でそれまでにレジュメを推敲でき同氏に見てもらえます。

文化学院《ICMJ》ではホズミさんの提案どおり、ヒロシマ原爆投下六九周年目の八月六日に特別講座として開催。二〇名近い参加者には元研修生夫妻も二組いて積極的に質問やコメントで協力してくれました。また同校の元理事や若い日本人教員も参加してくれました。

クラスではまず、原発事故現場から約二〇〇キロの距離にある松戸市の放射線被曝状況から報告。ただ途中スペイン語の専門用語に詰まり窮余の策でレジュメ参照、何とか逃げ一時間少々原稿を見ずにこなしました。冷や汗こそ出なかったものの疲れは激しく、質問を聞き取れないときは元研修生らが意味をかみ砕いて友情発揮。トーク後、元研修生はコメントで、技術革新の可能性や原発事故の

「フクシマ」を語る（メキシコ市の日墨文化学院）

処理技術へチャレンジする大切さを強調していました。終了後、文化学院《ICMJ》からは予測もしていない講義実施証明書の授与。メキシコも欧米と同じく実績重視社会で、証明書は次の機会を得るための有力な道具になるのです。

文化学院《ICMJ》での講座のあと、元研修生のルイス夫妻が熱心に家へ招待してくれました。実はそこにありがたく心温まる試練が待っておりました。ルイス氏は言います。

「今日私は一番後座席にいましたがよく聞き取れ内容も理解できました。ただ、示された写真は小さすぎます。前席では見えましたが後ろでは無理。大学などで四、五〇人を集めるには紙の資料だけでは不充分。妻のヘオはパソコンが得意です。パワーポイントとスライドをつくりましょう」

彼は決断したら一気に実行の人。書斎に招き入れられ資料を次々と選び出しヘオさんの協力で電子データづくりの開始。彼女は厳しい教師で結果が出るまでニコリともしません。二日をかけ夜二時までの作業で何とか基本部分は電子化ができました。

ヘオさんを最初に紹介されたときは、その知的な風貌と鋭い眼光に射すくめられる感じがしました。語りは穏やかで、相手の目をゆっくり見つめてそらさず論理的に話を展開します。当地の中年女性としては例外的にスリムで歩きも軽快。菜食主義ではないのですが獣肉類はとらず間食もしません。メキシコ女性の多くは事務所机にキャンディーや菓子類を忍ばせよく口にしますから、なかなかの自制心です。出身地は観光地のタスコ市、生物学（昆虫学）を専攻し今も勉強を続けています。彼女は文化学院《ICMJ》でのフクシマトーク後の立ち話で、学校のメンバーから「当校は借地料負担が大きい」と耳にしました。するとすぐに名刺交換をし近々対応を話そうと提案。細かな気配りと機敏な判断力で私の下車時もさっと回ってドア・レディ。彼女の風貌は誰かに似ているという既視感がある日、氷解しました。それはかのフリーダ・カーロで、顔立ちというよりはやや陰鬱な雰囲気ときりっとした表情がこの稀代の女流画家を連想させるのです。

夫妻には子どもがいません。彼女から「日本人と気質が合うので日本人養子がほしいから探してほしい」と相談されました。長年里親経験のある日本の友人に連絡し事情を聞きましたが、外国人との養子縁組は至難の業。そのことを伝えたときの夫妻の落胆ぶりにこちらもがっくりさせられました。二人は実に面倒見がよく後日の自治大学《UNAM》での講演会では写真も撮ってくれました。こちらにはその余裕がなかったので今も貴重な記録です（なお、二〇一五年、夫妻に女の子が誕生。六〇代でルイス氏は父になったのです）。

さて自治大学《UNAM》の方ですが、ゴトウ氏にデータを送って間もなく自宅へ食事に招かれました。あいにく第三次腹部不調期で絶食中、お茶だけとなりました。自宅は大学近くの四、五階の低層高級マンションで、ときを経て渋みが醸成された樹木が繁茂し都心とは思えぬ落ちつき。自宅応接間の壁全面に各地からの収集された仮面が何十と飾られています。「先住民族の文化変容や制作者の他界でもう入手不可能のものも多いです」。これまでも日墨両国の博物館に寄贈や貸与をしているそうです。

同氏は講座用のレジュメ稿を丁寧にチェックしてくれました。そして「驚かすつもりではないですが全学に案内するので、自然科学系教員も参加し専門的質問も出るかもしれません。お心づもりを」と念を押されました。「冒頭で私が専門家ではないことを強調し、『答えられないことは調べてお答えする』と対応します」と答えるのが精一杯でした。

八月中旬の講座の前日、懸命に原稿を覚えようとしますが頭に入ってくれません。結局全暗唱はあきらめて忘れたときに目がいくようキーワードに赤を入れます。

いよいよ当日、定刻の四五分前に大学に行くとポスターが何カ所にも貼られこれは想定内。しかし、校内テレビ放送でポスター画像が流されているのを見て驚き、一気に緊張が高まります。そして「専門的質問」のことが頭をかすめます。大教室には時間前に日系人元研修生のグロリアさんも含め一八人。徐々に増えてルイス夫妻も到着、四〇人ほどの参加者です。トークは自己紹介の段階ですでに原稿にはない故郷富山のエピソードが入りさっそく脱線。真正面を向き、あがらずに話せたものの一部をすっ飛ばし。また、フレーズを忘れて原稿を見ようにもパワポ投影で照明が弱く、手元が暗くもたつき減点。ともかくペーパーを見ずに話せたのでまあまあと甘めの自己評価を下すのでした。

依頼してなかったのにへオさんは隣席でパワポ操作協力、これには感激。よく質問も出て終了後も五、六人の学生がひな壇前へ。三人の女子学生が正面掲示の放射能汚染の日本地図の下で尋ねてきます。セシウム二種の半減期の差、原発事故で拡散した核種などの質問で、専門的なツッコミはなく何とか答えます。何人かは「日本語でもいいので詳細データを送ってください」と自分のメルアドを書くので英語情報も備えている原子力資料情報室などのメルアドも伝えました。

講座では一方的な話としないために今回に限らず学生へ次のような質問をします。

①「日本に原発はいくつあるでしょうか?」

②「使用済みの放射性廃棄物が人体に害を与えなくなるまでに何年くらいかかりますか?」

③「自国の原発をどう考えますか?」

で、その主な回答は以下のとおりで、自治大学《UNAM》での回答もほかの大学とほぼ同じです。

①「三〜五基」止まり（正解は原発爆発事故以前が五四基で爆発直後が五〇基。その後廃炉が続く）。

②多くは「三〇年」「五〇年」の回答。ときどき「一〇〇年」、まれに「一〇〇〇〇年」（正解は「約一〇万年」）。

この回答時、黒板に「0」をひとつケタ目からゆっくりと並べて書いてゆきます。五つ書き終え最後に「1」を添えると会場は水をうったようです。

③カリブ海岸の二基の存在を知らない学生も少なくありません。「メキシコの原発も強烈なハリケーンで排水口などに被害

トーク後のQ＆A（メキシコ国立自治大学）

が出ているから危険です」などとコメントする学生は希です。「三・一一」以前の一般学生と似たりよったりでしょう。

講座は二時間ほどでしたが、ぐったり疲れている自分に気がつきました。学生とのお茶の集いは、と思っていましたが、早々と次のクラスへ。ルイス氏は有名な壁画前の校内カフェでねぎらってくれます。夫妻が「疲れをとるために家でゆっくりして」と再びの招待。そして今回もまた待っていたのは厳しくもありがたい反省会。ヘオさんから愛のムチが飛び、今日のトークでの不足部分をパソコンでデータ化し、資料不足はネット検索で補充。疲れた身体ではありましたがただ感謝しかありません。

メキシコ市では、こうして幸運にも最も歴史の長い日本語学校と最有力の大学で「フクシマ」を語り、学生たちと交流が持てたのでした。

## 心残りの「コレヒオ」

エル・コレヒオ・デ・メヒコ（メキシコ大学院大学）はメキシコ市南方に位置し文系では最もハイレベルの研究場所として知られます。三五年前に、技術移転史の資料調査でよく通った場所です。

ここでは世界各地から有力な研究者を招聘し講演会も常時開催。私の留学時代には水俣病研究の第一人者であり、被害者である患者のために貢献された熊本大学の原田正純教授も招かれ幸運にも話す機会が持てました。また教授と同行の同僚教員たちを砒素中毒が疑われている地方へ案内。村人は日本人の来訪は初めてと興味津々でした。コレヒオと日本を結ぶキーパースンが田中道子教授で、先述のように以前出版手続きでお世話になり、メキシコでの再会はこのとき以来となります。

今回、何度電話をしても教授は不在で、知人に聞くと数年前から有機農場で過ごされる時間が長いとのことで半ば再会をあきらめていました。ただ、来墨を伝えコレヒオでのフクシマトークの可能性を確認するため六月末、手紙と資料をコレヒオの事務所に届けることにしました。

以前は郊外だった学校周辺は今や高層ビル群で隔世の感。警備も以前より厳しそうで制服係員が四、五名で「身分証明書は?」と命令調。直前の電話でも教授は不在でしたが念のため研究室を呼び出してもらいます。すると教授が電話に。「今出かけるところでした。一五分くらいなら」ということで急ぎ研究室へ。挨拶と昔話も極手短に早めに本題に移ります。結論的には夏休みの終了後の九月に可能性ありで、日本語教師二名の名前と連絡先をお聞きできました。

九月に入りその教師らとの連絡をはじめ半月後にようやくコンタクトでき日程と内容調整開始。日程は私の帰国直前に、内容は「フクシマの被災状況は半年ほど前に小熊英二氏の講演を開催済み、今回は、生活スタイルや省エネを中心に」ということでした。しかし結局、学内試験日の変更や複数クラスの調整、学生が集まりやすい日の検討を続け最適日は私の帰国予定日に。貴重な機会ですが早朝発の格安航空券を無駄にして買い直す決断はできませんでした。

コレヒオを再訪して二人の教師にお詫びの挨拶後、フクシマの現況を伝え献本。ただ、田中教授は不在でお礼はできず電話も通じずで結局メールの挨拶だけで帰国となりました。こうしてコレヒオは三五年前には出版で失敗し、今回も一日の差でトークを果たせずと関係者には迷惑のかけ通しです。

## ケレタロ市――歴史を誇りつつ急発展

同市は中央高原のほぼ中心、首都から北西約二百キロに位置しバスで約四時間、今回初訪です。人口は約七三万人、中世は銀を世界へ運ぶ要衝地、歴史上も最重要の街でユネスコ世界遺産。先住のオトミ民族が一五世紀から入植しやがてアステカ民族が合流、一五三一年にはフランチェスコ会の布教基地。周辺は先住民族とスペイン人植民者の関係がよく共存発展しそれが街の誇りです。その結果、伝統宗教とキリスト教が融合、特有のバロック教会建築も発展しました。街の東方には一八世紀建設の高さ二三メートル、長さ約一三〇〇メートルのレンガ製水道橋も保存。また、当地は近代史上でも重要な役回りをしました。一九世紀初頭の独立運動の計画、二〇世紀初頭のメキシコ革命時の憲法起草もこの地を舞台に展開。近年は外国資本の誘致や過密首都圏からの工場移転が進み、急速に街が拡大し人口実勢は一〇〇万人近いそうです。

四月、バスターミナルで迎えてくれたミタニ氏は、「まず職場を案内しましょう」と研究所へと車を飛ばします。郊外の広大な敷地には研究棟が点在。芸術品然たる原子時計も鎮座、ここがメキシコ標準時の決定場所なのですがほとんど知られていません。また、ここの計測標準が各地の計測関係所に配信、商品の目方に至るまで日常生活に影響を与えるわけです。こうした計測機関は世界各地に存在しますがその重要性はあまり意識されていません。私も日本でこの種の研究所訪問の経験はなくその大切さをここで認識しました。日本をはじめ国際協力も頻繁で当所のナンバー二の彼は、本来の研究以外に各国ＶＩＰ接遇や各国での指導や学会などと超多忙。なおこの技術では米国が世界のトップ、日欧が続きメキシコもそれに近いレベルということです。

翌日、ドロレス夫人の実家のあるイラプアト市にミタニ氏の車で向かいます。彼の運転は安定し信頼性充分。ただ、長年、省エネ志向で公共交通を旨としマイカー・フリーの自分には、時速一〇〇キロ以上は恐怖と緊張の連続です。到着後はまず夫人経営のイチゴ加工場を見学。五〇人ほどの職員が瓶詰・チョコレート製品などを製造、当地ではよく知られた存在です。

工場内には「よく手を洗いましょう」「消毒を忘れずに」など標語が並び、夫人の日本研修の知見を大いに活用。一九七一年、彼女は第一回交換研修生として横浜の食品会社で約一年間研修しました。滞在中に研修センターで二人は知り合って結婚、夫妻の息子*はミタニ氏の父親の名を、孫娘は母親を「襲名」。故郷で永眠する両親への思いが伝わってきます。

さっそく外へ、広場周辺だけで教会が五つもあって、まさに教会の街。正午にミサを告げる鐘が鳴り、その一五分後に別の鐘が。同国では昼休み時間がいろいろで、より多くの人が礼拝できるよう教会行事にも時差が設けてあるのです。日曜日のため広場は人だかり。故ヨハネ・パウロ元ローマ教皇の聖人認定への祝賀行列、イエス復活を祝う古代衣装の一団の練り歩き。キリストを連行しいたぶる憎まれ役のローマ帝国兵たちも登場する芸の細かさです。

近くの市立博物館では日本展が開催中。まず一六一三年（慶長一八年）に伊達政宗が派遣し支倉常長が率いる慶長遣欧使節団の展示。ついで羽子板、輪投げや奴凧など伝統玩具が。そして沖縄、福島、宮城各県の観光案内ポスターと続きます。また一七世紀の千葉県御宿の漁民によるメキシコ船難破時の救援活動の図も。最後に二〇一三年の日墨政府のトップ会談の写真も並び企画の背景が予想できます。当地には日系自動車部品メーカーが多数進出、その親日ムード作りでしょう。

＊彼は二〇一六年年末、運転中を強盗団に襲われ射殺。急停止させられた車内に子どもたちがいて要求拒否、車を発進させようとしたため銃撃され、誘拐回避が仇になったのです。周辺は治安のよい地域なので現地では連日新聞のトップ記事で報道されました。

## 分かれた三対応

翌日ケレタロ市に戻りさっそく日本語学校探しを開始。同市では代表格のケレタロ自治大学《UAQ》日本語学科に加えて規模が大きめで歴史も長い二校を候補として選択します。だが、日本で借りたケータイがつながらず、最初のケレタロ自治大学《UAQ》からモタつき。何度呼び出しても、早口の自動音声だけで聞き取れず、近くの高級ホテル前の若いドアボーイに「この声は何を?」と援助を要請します。正装で律儀そうな彼は耳に当て「ケータイ点数切れ」と購入できるコンビニを丁寧に教えてくれました。

私は日本では「ケータイ・フリー」生活でその利用ノウハウをよく知りません。訪墨前メキシコ通の友人が「日本以上に公衆電話が激減。三つ持っているのでガラ携のを贈呈する」と説諭。潔く断ると「それでは貸与」といわれともかく持参することに。実際、日本でも今や公衆電話探しは汗仕事ですが、持参していなかったならもっと汗をかかされたことでしょう。当地でのケータイ利用は充電とは別にケータイ用のＳＩＭの接続会社への持ち点数確保も必要。そのため電力残量と点数購入の両方を常に意識、点数購入店を捜さねばなりません。

さて、準備を整え再挑戦。ケレタロ自治大学《UAQ》が出ました。が、今度も自動メッセージ。自動話者に命じられるまま数字押し。だが外国語学科へは到達失敗。近くの人をウロウロ探し早口電話の内容を尋ねますがらちがあきません。自動電話トラウマが心を覆います。今日は日が悪い、同大学とのコンタクトは当地再訪時にと気分を変え、ほかの二校を先行させます。

一校はミタニ氏宅から近く、外国人むけにスペイン語も教えており、幸い電話では電子話者なしで係と直結。徒歩二〇分ほどで着き受付で拙著を寄贈、喜んで受け取ってもらえました。学内案内の女性係員も明朗で中庭は陽光いっぱい。中庭のテーブルを囲んでアジア人と欧米人六、七人がスペイン語の自由会話中です。

係から呼ばれた三〇歳ほどの青年が立ち上がりやってきて挨拶を交わします。日本の超有名Ｈ社からの赴任者で「習いはじめて日が浅いです。同様の学生が別クラスにも」とのこと。案内後、案内嬢からカリキュラムをもらい日本について話す機会の用意可能との返事。ところが約一カ月後の再訪時には事情は一変します。これについては次項でふれます。周辺では日本の自動車会社が多く進出し、それを支える部品メーカーなど関連企業は二〇〇社（二〇一六年では約三〇〇社）近く、日本への関心も日本語学習熱も高まっています。

午後はもう一校訪問予定です。電話に出た中年女性のエステラさんは途中から流ちょうな英語に。

ただ、通りの名が聞き取りにくく、ともかくメモ。タクシー運転手を呼び止めてはそれを示しますが「わからない」と乗車拒否の連続。道路名をスペル・アウトしなかったのは反省材料でした。

次は初老の運転手。メモを見ながら「まあ行ってみよう」と。彼は何度も車を停めては尋ねついに探り当ててくれました。実はその学校は大通りからわずかに入ったごく短い、三〇年キャリアの運転手も知らない路地に立地。彼には通常の二倍くらいチップの後しっかり握手して感謝アッピールしました。このような親切心をそなえたプロと出会えただけでもその日は高揚しきり。ただ考えてみればタクシー内から学校へ電話の手があったのです。彼も私もケータイ音痴の証明というオチでした。

エステラさんは私よりやや若く「庶民いじめ」の八〇年代英国首相似のアングロ・サクソン的な風貌。米国留学経験者で外国人対応には英語が口から滑り出すようです。しばらくは英会話が続き距離感。彼女もそれを感じたようでスペイン語に切り替えてくれ打ち解けていきました。

彼女はオーナー校長で校舎は四、五教室、話し合いは順調に進みクラス協力が決まりました。気がつくともう二時ころで急に空腹を感じ近くのお勧め食堂を尋ねます。「親友がオーナーの店が」とのことで半ば儀礼的にランチに誘うと意外にも快諾、彼女の車で直行ということに。だがそこは紛れもなく高級に属する店。「ギクッ」が襲います。テーブル上へ分厚いメニュー帳がお出まし、お腹の方は空腹でそして頭は軽財布の算段で引きつり状態。悟られぬよう平静をつとめます。二人分は何とか持ち金でカバーできそう。ところが、まもなく同年代の女性が登場して席に。オーナーのラウラさんでとても気さくです。訪日も数回、現在滞日中の共通のメキシコ人友人がいるのを知り距離が急速に接近。ただ心配なのは三人分の食事料金。薄ら寒い財布でカバーできるか。身体じゅう何カ所かに分けた持ち金を全動員すればカバーできそう。レディ二人を前にテーブル下で靴下をまさぐるわけにもいかず、トイレでの全所持金の集結策謀に思いを巡らせます。

ラウラさんは環境問題にも理解が広く東電の福島原発事故のことにも深い関心を示します。「遺伝子組み換え食品《GMO》には絶対反対。モンサント（アメリカの食品大企業）は種子を特許化して独占し世界を支配しようとしています」。こちらが日ごろ思っていることを次々と展開。「このレストランの食材は近隣の先住民族の有機野菜を使用。毎月何回か食材仕入れに出かけ、彼らが先祖から引き継いできた種子を守る活動も一緒にしています」。そして、「機会があればぜひ、その村まで出かけましょう」とお誘いもありました。

幸いにも彼女はすでにランチを終えていて話題提供だけ。埋蔵金の靴下探りなしで済みました。食後、エステラさんがバスターミナルまで送り届けてくれ、一カ月後の再会を約束してメキシコ市に戻りました。

## 不都合な話題？

五月末に予定どおりケレタロを再訪しました。先には不首尾だったケレタロ自治大学《UAQ》へはアポなしで大学の関係先を訪問することに。中心地の本部から言語学部はやや遠くてバス路線が複雑です。次々とバスが来る中央公園前で、行き先を運転席正面ガラスにペンキ手書きのバスに何度も上がりこんでは尋ね、再び下車を繰り返します。三〇分以上かけてようやく目指すバスに乗り込めました。どんどん高台へ、街一望の台地に出てさらに進むと校舎が見えてきました。一面コンクリートの広い敷地に点在する三、四階棟がまるで空軍基地。道路幅も異様に広く、傾いたセスナ二機が草むらに放棄され、もとは飛行場のようです。何度か尋ね言語学部長室へたどりつきましたが、秘書は「先約あり」とのことでアポを取り、出直すことにしました。翌日、戸口まで迎えてくれたベロニカ学部長は私よりやや若年、温かみのある女性です。「日本食レストランにもときどき」と料理も話題となりました。肩に力が入った訪問でしたが彼女の人柄でリラックスできました。

日本語学科は三レベル別で月曜日から土曜日までのクラス編成、学生数約一〇人で週五回の実施。それ以外に土曜日には一般人も参加可能の公開クラスに約六〇人が登録。数年前までいた日本人教員は移住し現教員はすべてメキシコ人です。学部長からは特別講座について「光栄なことでぜひ機会をつくりたい」との一言を得ました。「近々、クラス担当者から日時などを連絡させる」との返答で原発事故の硬いテーマを快諾した決断力に感謝一杯でした。私はメキシコ国内の大学での日本語教育関係者の知己はほとんどなし。外国人（部外者）が学生を対象として話すには、理事長や学部長の承諾が必要なことも多いのです。話が具体的になり、この五月時点では未完成だった教材づくりを急がねばなりません。訪墨前は非常に忙しく下準備だけで教材用意の時間がなく、日本語初級者用のスペイン語版レジュメづくりが急がれました。

さて、次は四月の来訪時に最初に訪れた学校の親切な担当者へ電話します。何回か講座日程や内容の詳細調整を試みますが、いつも不在で代わりの人が「今多忙で」とコンタクトさせまいとしているようです。そこで別の担当者との調整を依頼。すると今度は「ほかに担当はいない」との返答です。

先の対応との様変わりに驚きすぐに訪問、先に快諾を得ていたはずの開講の確認を丁重にしました。上司らしき男性からは「結論が出たら知らせる」との回答。しかしその後、帰国するまでついに連絡はありませんでした。

今回の滞在中、先方の事情で「断った」のはこの学校だけ。他校との唯一の違いは、日本の大企業から何人かが在籍中ということです。あくまで推測ですが、「フクシマを伝える」ことが、その企業のイメージを悪くするからでしょう。原発機器を製造する会社にとり「不都合な真実」「ありがたくない話」のはず。「拒否」の伏兵は「日本」かもしれません。学校の急変ぶりにはがっかりというよりは呆気にとられました。

もう一校のエステラさんとは事前のメールが途中から不調で、訪問直前にようやく打ち合わせ再訪日が決定しました。その日の朝、学校へ到着し愕然としました。いきなり本番なのです。しかも日本語学習の開始後まだ数カ月目のクラスなので説明はスペイン語で。レジュメもなしで、持参した視覚教材もすり合わせ予定分の少々だけ。とはいえ、一〇人ほどの参加者が真摯だったことと質疑時間を充分取ったことが幸いし、三時間ゆっくりと話せました。インド人風貌中年の女性教師はメキシコ国立自治大学《UNAM》日本語学科の卒業生。わがトークを語学指導の立場からも聞いているようでした。留学時代も含めてスペイン語の短いスピーチ経験はあるものの、硬いテーマで長時間の説明は初めてのこと。必要は発明の母、「フクシマ」の被害者の思いを少しでも伝えたい気持ちが非力の自分を教壇へ引きずり出したのです。緊張感はなかったものの詰まりやトチリの頻発、話し終え語学力の不充分さを詫びました。参加者は「意味はよく分かった。いいスペイン語」とフォローしてくれるのでした。

Q&A時間ではエステラさんがテーマを広げ、わが故郷や日本の食文化、旅行なども意見交換。茶菓も用意され温かい雰囲気が心に残りました。その後、彼女と同校教師の息子が市内を案内。「他所にない土産」と山羊乳のクリームを推薦。似た製品は各地にありますが当地産は絶品とのこと、さっそく購入しました。

## ケレタロ《U》自治《A》大学《Q》とアニメ

前述のように同大学の学部長から快諾を得たものの事務調整に日数がかかりそうでした。そこで先に近隣のグアナフアト市のグアナフアト大学《UG》での打ち合わせに向かいます。同地に滞在中、何度もケレタロ《U》自治《A》大学《Q》教員と電話で日程調整。しかし教員間の連絡不足で情報が錯綜し詰めに手間取ります。二転三転し六月の土曜日と月曜日の講座と決まりました。

ただ当日、自分の詰めの甘さが露呈します。「ひとクラスは学習歴約一年、別のクラスは二、三年」と聞いていたので、日本語版仮名付きレジュメも用意していました。しかし実際は両クラスとも半年間から三年間の学習者までの混在。土曜日午前のクラスは二〇人前後の参加。日本語でかなりゆっくりとまた重要単語は板書しつつ話しますが、半数の学生は反応がはっきりしません。そこで若い男性教員マヌエル氏が反応を見つつところどころを通訳して進めました。Q&Aでは三年間既習者の五〇代ほどの女性から広島の原爆と福島の原発事故の被害者の比較についての質問が出ました。高い問題意識を感じまたほかの質問も真摯でピシッとした雰囲気で話ができました。

　翌週の月曜日、担任のディアナさんは二〇代半ばの女性教師で、また同校芸術学部の博士課程学生です。ただ、このクラスもやはり学習歴が不揃い。講座の趣向を変え自己紹介に少々時間をかけました。図版も使い反応に期待しましたがいまひとつ。Q&Aでは「一般的質問でもいいですか?」の声のあと、日本文学や俳句について尋ねる学生も。ただ、土曜のクラス同様に中年女性が魚の放射能汚染や日本の火山活動の現況など当を得た質問、ホッとさせられました。

「フクシマ」を語る（ケレタロ自治大学言語学部）

　会の後、数人の学生が喫茶で歓談をと声をかけて来ましたが、教師に先約ありで流れたのがとても残念でした。どうも「会後の茶」は一般的ではないようです。理由としては「教師も学生もクラスが連続すること」また「交通事情や防犯の点で郊外の学校から早めに下校したいこと」を指摘する友人もいました。

　立ち話をしているとディアナさんの母親が車で迎えに。年ごろの女性とはいえ、「過保護では?」と思ったのですが、母親は同校のスペイン語教員で待ち合わせての帰宅です。私に同乗を勧めてくれ、さっそく車中で質問。

「いつから日本語の勉強を?」

「一三歳からです」

「そんなに早くから。何かきっかけが?」

「日本のアニメです」

彼女はアニメのスター名を次々あげますが皆目わかりません。ただ、今やアニメが日本のシンボルであることを実感。

「それからずっと日本語を学習しているのですか」

「そうです。当時、家族が『どうせ半年も続かない』と言っていましたが」

次に彼女が思い出したように質問。

「日本の大学院でアニメ研究できるところをご存じですか。留学したいのですが適当な情報がないのです」

「アニメや漫画研究というと京都精華大学くらいしか知らないのですが」

「修士課程はありますが博士課程はないです」と調査済み。

そこで、あとから連絡することに。ただ、東京藝大の友人は「アニメ研究学も学科もない」と。また知人のアニメ監督は「アニメとは制作し楽しむモノで研究するモノではないです」との回答。彼女の役にはたてませんでした。

気になっていた「学生は講義後のお茶会は嫌い?」についても彼女に確認。

「寮がなく郊外へ通学するだけでも大変です」と、茶代もバス代もバカにならない事情もあるようです。

　こうして、当地での日本紹介は人類全体に深刻な原発事故というテーマではじまり、子どももそして今や大人も楽しませるアニメというトピックで終わったのでした。

## プエブラ市――名峰を仰ぐ天使たちの古都

　この市は首都の南東約一三〇キロに位置し、中世の香りを漂わせる中心地は、一九八七年にユネスコの世界遺産に登録されました。市内六・九平方キロの三九一街区に二六一九に及ぶ記念建造物が人々を迎えます。同市と首都と二つの大都市のちょうど間に海抜五〇〇〇メートル級の同国第二・三の雄峰、ポポとイスタが聳えます。人口約一五〇万人、首都とメキシコ湾岸の港町ベラクルス市を結ぶ要衝の地、一五三一年に「ロス・アンヘレス」（英語読みでは「ロス・アンジェルス」、天使たち）として街の歴史がはじまり「天使」は今日も同市のシンボルです。タイの首都バンコックの長い正式名称の最後も「クルンテープ」（天使）ですから「天使」たちは世界中で街づくりに貢献しているのです。

　四月、懐かしい古都で最初にコンタクトしたのが「母校」のプエブラ自治大学（現BUAP、旧UAP）。ところがケレタロ自治大学《UAQ》同様に電話が自動対応で外国人泣かせ、また言語学部が郊外に移転し要領を得ません。いったんコンタクトは先送りし留学当時、友人の日本人が通学し当方も「もぐり学生」としてときどき通ったラス・アメリカス大学（UDALAP）に的を絞りました。

この大学は影響力の強い私立大学で、プエブラ市西方のチョルーラ町にあって抜群の眺望を誇ります。近くの丘の頂にはかわいい教会。雑草繁茂のこの小丘が実は土を盛られた古《いにしえ》のピラミッドの変わり果てた姿なのです。現在「丘」は発掘され内部も見学できます。プレ・スペイン文明のシンボルを丘に化けさせ、上から踏み押さえ込む教会。古代文明を欧州文明が支配という象徴的な光景が校庭先に展開しているのです。その後景には冠雪のポポとイスタの双峰が望めます。山嶺は遺跡も街も見下ろし、その悠久の時からは両文明の歴史も微々たるもの、というふうで見事な光景です。校舎の朱色煉瓦がまた絶妙の配色。澄んだ空色、山頂の白雪、山峰の群青、教会の黄壁にピラミッドを覆う草木の緑、そこに学舎の紅が織り込む彩りは格別です。

同大学の図書館は拙著の寄贈に快く応じ受領証明書まで発行してくれます。その後、言語学部棟内を訪ねます。日本での事前調査に反し日本語学科は五年前に閉じ中国語学科に変貌。ほかには英語、フランス語などの欧州語が四学科だけでアジア言語学科は一言語だけです。さすが対米関係が深い大学、経済力の変化に極めて敏感な対応です。さて、同校の学生が自主的に日本語を学び拙著を読むことはあるのでしょうか。日本語学科がないため、ここでの講座は実施しませんでした。

## 働き盛りのオリビア

オリビアは高校時代から日本語に高い関心を持っていました。私が一九七九年に留学した際、日本人留学生の指導教官の紹介で知り合いました。今や五〇歳近く、州政府本庁の予算担当責任者で、食事中にも何度かケータイへ連絡が入り、その度に指示を与えていました。

「部下自身で仕事を進めてほしいのに、すぐ相談してくる」とため息。「なかなか育たなくて。外国からの来客でもないと残業から逃れられません。気分転換できありがたいです」と多忙中の会食同席に恐縮するこちらを慮ってくれます。食後も中心広場のソカロ（憲法広場）前の煌々たる照明下、人の行き来の多い中央公園のベンチで話が続きます。歩いていた中年の女性三人が途中、わざわざ挨拶に来て数言声をかけていきます。しばらくするとまた一人、やはり中年女性です。

大聖堂前のソカロでW杯をＴＶ観戦する人々（メキシコ市）

「もうオリビアは有名人だね」と冷やかすと、「皆、私からお金がほしいから挨拶をするの」とジョークで軽く返します。「州知事にでも立候補したら」と言っても動じず否定もしません。高校時代からしっかり者、自信と実行力の人、責任感あふれて職務を果たしているのでしょう。ただ「予算が少なくて職員がドンドン減らされます」「モウ仕事イリマセン」と日本語での付け足し。そこから会話は日本語がメインとなり「日本語既修者の再教育」実践の臨時日本語クラス＠夜の公園となったのでした。

彼女の母親の骨粗しょう症、病的段階に達している姉の肥満そして自分のこと、「独身で本当によかった」と気負わず自然体で語ります。以前と変わらぬ体型で今も三〇代半ばに見え、自分のペースで人生を歩み私より器量が上だなと実感。「三〇年以上たったけれど、早いね」と私がつぶやくと、やや沈黙が流れました。「いい家族にいい仕事、よかったね」と率直に思いを伝えタクシーを見送りました。

## 古都巡り

八月になってようやく再訪。そのときも週末利用で同市の日本語学校やプエブラ自治大学《BUAP》担当者との都合が合わずコンタクト不首尾。今回もオリビアとの九時の遅いディナー中、先住民族衣装の幼児連れの売り子がテーブルに近づき、オリビアは私へ「お土産に」と木製小刀などを購入。私がその母子に住まいを尋ねると南部州で先住民族の多い「オアハカ」と。ただあとのオリビアの話では「出身はそうでも実際は当地在住者が増加中」のようです。

今回も食事中ケータイへの連絡が続き、話し終え一息。

「実は今日は州政府の会計検査日で今も一〇人以上の係官がズラリと並んで作業中。土曜日は必ず休むのですが明日の土曜日も検査のため上から出るようにと言われました。けれども『日本の友人が二日間しか滞在できない』と言って明日は休暇！」

「迷惑かけてしまって。検査の方うまくいきそう？」
「いいえ、気分転換できてよかったです。連日、仕事で頭がいっぱいですから」
長く待たせたこともあり「今日はこちらが支払う」というと、「払うならもう会わない」ときっぱり。別れ際に「太りすぎの姉が転んで腕を折り家も落ち着かないので自宅へ招待できず」と残念がります。その晩は前回宿泊の安宿は満杯で、来墨後初めてのバスタブ付きのホテル泊に。お湯で柔らかくした足指の爪をゆっくりと切ります。灯りの暗さと夜目の薄さの中、加齢はこうした日常行為も時間のかかる業務としてしまうのです。

翌朝、定刻通りに来たオリビアがまず案内してくれたのは古都のシンボルのカテドラル（大聖堂）。高い天井を見上げ「私は毎日、朝七時に母と歩いて教会へ礼拝にでかけます」と一言。彼女は新聖人、先代のヨハネ・パウロ・ローマ教皇も深く敬愛。そこで私は知人のカトリック・シスターの経験を紹介します。彼女はバチカンに二年間留学中、ちょうど訪日準備中だった教皇への日本語学習を毎月数回担当。それを伝えるとオリビアは、もううらやましがることしきりでした。昨夜と違い「家族も泊まるよう言っているのでぜひ家へ来てほしい」と招待。母や姉の体調は回復気味、子ども時代に会った甥のエマニュエルも楽しみに待っていると言われ、好意に甘えることとしました。家では皆さんお揃いの出迎えでさっそく二階へ案内。そこは甥の部屋で成長して私より長身となった彼が「キレイな部屋でなくて」と恐縮。日本のわが部屋とは天地の差、塵芥なしでカラフル。

さっそく、エマニュエルらと車で近郊の歴史の街ラス・アメリカス大学《UDALAP》のあるチョルーラへ。草むしたかつてのピラミッドである丘の上の教会とポポとイスタを望む、その名も「ピラミッド」食堂でのランチ。その後、教会下の内道へ、鉱山の坑道そっくりです。垂直や斜めに横切る「立入禁止」の通気口のような内洞が上下に交差し、天井や足元を見るとその深さに恐れをなします。

そこを出て、「丘腹」部分には病気快復祈願の小聖堂が、横に古井戸も保存されています。信仰の種類を問わず聖所に聖水、かつての京都住人オリビアは音羽の滝を思い起こし「清水寺と同じです」と。周囲の広い一帯に残された遺跡周遊コースでは、紀元前後から八五〇年ごろのいくつかの時代層を表示。石段前で拍手すると「鳥の声」が反響。日光の鳴き龍と同趣向ですがとてもリアルで、石がまさにポウポウ、キュキュと鳴き驚愕します。悲嘆と恐怖を誘うのは生贄祭壇での子どもたちの首の切り落とし。古代人は子どもを神の使いと考え恵みの雨を求めたのです。人口抑制の間引き要素もあったのでしょう。信仰や教条による残虐と狂信と排他は、今日の戦争などでも見受けられ過去に止まりません。

家へ戻り「フクシマ」を語る機会を得て、彼女の兄のセルヒオら親族も参加し久しぶりの再会。彼は学生時代、線が細く弱々しい印象で将来が気がかりでした。現在はプエブラ自治大学《BUAP》の歴史学の教員で予想外に元気。「基準量以上の放射能を浴びた子どもたちへの対応策は?」などと核心を衝く質問。それに加え「今日は八月九日、長崎での催しはどうですか?」「憲法九条をめぐる動きは?」とか、歴史学者らしい真剣な姿勢でした。

その後、揃って炭焼きタコス店で夕食、甥の車で彼のフィアンセのサンドラさんも一緒に夜のドライブへ。各所で教会がライトアップされ町全体が博物館のよう。小丘のロス・フエルテス公園からは街の夜景が三六〇度一望できます。ここは一九世紀、メキシコ軍が当時世界最強といわれたフランス軍に抵抗した陣地で侵略軍を撃退。そこで私が何となく「奇跡の勝利だね」というと三人が大笑い。隠れたホンネ「弱いはずのメキシコ軍が」の深層心理の告白が受けたようです。広大な公園には砲台も保存、二年前まで軍施設として非公開だったので留学時代の記憶は皆無でした。

車は丘を下り「五月五日通り」（勝利した「五月五日」から命名）からファアレス公園近くの中央学校前を過ぎます。「私たち三兄妹は全員この小中高校で一二年間学びました」というオリビアの言葉を聞いてふと母上の顔が浮かびました。それを感じ取ったように「五歳のとき父が死に母が懸命に働き教育を与えてくれました」と続けます。長い付き合いですが父親のことを聞いたのはそのときが初めてでした。

次いで旧下宿近くから新興地のアンヘロポリス（Angelopólis）を周回。巨大なテーマパークか宇宙基地のようでなじめそうにありません。「地名は市の愛称の los angelitos（天使たち）から？」と聞くと三人はまた笑ってうなずくのです。外国人が故郷の愛称を覚えていたことに満足したのでしょうか。こうして帰宅したのは〇時半近く、オリビアが部屋へバスタオルとトイレットペーパーを持参。さて今日の最後の営為、歯を磨きはじめると突然水が。断水です。幸い私はこの二十数年来、自然塩利用ですので口内に残っても苦ではありません。紙で拭き取ればいいだけです。

翌日は、伝統手織りのマンタ（毛布）街と近年発見された遺跡訪問。出遅れて途中のトラスカラ市到着は一一時過ぎ。マンタの生産地、チアウテンパン市への行き方は三人も知らず、サンドラさんが通行人に何度も尋ねます。同市はかつてのひなびたイメージとは大違い、人口も約七万人で商店街も爽やかな清潔感。五、六軒回って結局、最初に入った店に戻り畳サイズのマンタを一枚購入。偉丈夫の中年オーナーは「店で写真を撮るのはいいけれど私は入れないで」と一言。「写真嫌いですか？」に「ネット配信されるから」といかにも今日的な配慮。

マンタには特別な思い入れがあります。学生時代から長年、地球環境への思いと資源節約から省エネの超エコ生活を実践中。夏はノー・クーラーで平気ですが冬は暖房なしでは寒さはきついです。ところが三五年前に同地で購入したマンタは保温力が抜群。真冬に体にまとうと「体温力」保温で暖房用品なしで暮らせるのです。以来冬も暖房なしの生活が可能に、先住民族の知恵のおかげです。メキシコは砂漠やカリブ海イメージもあり常夏と思われがち。しかし山麓や高地帯では冬はかなり冷え込み北部では降雪もめずらしくありません。その防寒のため先人が磨き上げた伝統品が手織りマンタなのです。それ以来毎冬、大切に利用し続け昨今は中央部分の布地が薄く摩耗。滞在中に新品を購入しようと買い物苦手を押して心に決めていたのです。

三五年前のこの地区での霞む記憶は郊外の広場に小露店の列。今や素朴な市場はなく商店街化の大変貌です。その店では二五〇ペソの品物を二三〇ペソ（約一九〇〇円）に値引き、都会では数倍はするでしょう。

もしこれを日本中で利用すると化石燃料消費は激減し暖房費は大節約、省エネ節電効果も抜群。しかも先住民族の地場産業にも貢献できるのでフェアトレード関係者に輸入を提案したこともあります。ただ何分製品が大きくて扱いにくいとのことです。日本で販売されているのはアクリル製か合織で畳サイズの天然商品は見かけません。今回購入した新マンタであと三五年間は暖房なしで暮らせそうで一安心。

## 教室に行けない

約一カ月後の九月下旬の週末、帰国まじかに三回目のプエブラ訪問。まず打ち合わせのためプエブラ日本語学校へ直行しました。長年勤務のナカムラさんは新学期がはじまり多忙の中を校内案内の労をとってくださいます。同校は日系人一世の故オノ氏が設立、長男が引き継ぎ独立法人に、生徒数が約二五〇人の規模です。グアダラハラ市の日墨文化交流学院と同様ここ二、三年で生徒が急増。教員八人中七人は日本人で教師探しが焦眉の急となっています。「採用年齢は四〇歳まで。少なくとも二、三年間は勤務継続」が採用条件で、採用当初は日本語教育検定の義務時間以下での勤務も可能です。

校舎は長方形の中庭を囲み二階が教室で、植栽が少なく空が広く開放感ある空間。例の全国日本語弁論大会でも優勝二回、入賞学生の写真などがズラリと事務室の壁に貼ってあります。八教室のなかには週二回の幼児クラスまで用意、一〇人以下ですがメキシコ人も参加し、日本での英語教育並みなのが大学都市プエブラらしいです。週一回は料理教室開催で母親たちも仲間入り、ここでも日本文化を伝え魅力アップ、募集はすべて口コミとは驚きでした。ガツガツ宣伝しなくとも生徒が集まり口コミ入学のほうが長続きするということです。教員住宅も二階に確保し毎週土曜日は中庭で和食ビュッフェも開催されるのです。

翌朝、ホテルから昨日の逆ルートで学校へ向かいます。古都の中心部は京都市同様の碁盤目状のわかりやすさで、講座開始の三〇分前に到着し、中庭のテーブル前で教材のセットと説明ポイントの最終復習。前日「準備は全部こちらで整えるので五分前には教室へ」とナカムラさんからの説明を思い出しつつ、五分前に二階への階段を上ろうとします。すると初老の警備員が「呼び出しがあるまで行かないで」と制止。「許可済みなので」と説明するも「規則で指示まで許可が出せない」の一点張りです。多少やり取りし強行突破でもなかろうと中庭で待ちます。

開始時刻となり二階を見上げますが声がかかりません。一分、二分過ぎたとき、ナカムラさんが外階段を駆け下りてきて一声「もう学生が待っていますよ。五分前に、とお伝えしたでしょう！」とのお言葉、こちらは返す言葉もなくて「すみません。今」と一緒に駆け上ります。日本語学校では日本文化紹介の一環として時間厳守へのこだわりを教えています。講師であればなおさら五分も遅れるなんて学生に示しがつかないのです。彼女の立場を考えて平謝りしかありません。

警備員に制止されても「あなたの責任ではありません」で突破するのが正解？　日本からの小さな土産でも彼に渡しておけば？　という気もしました。警備は当地では非常に重要な業務ゆえ前日の訪問時に彼にも丁重に挨拶したのですが、いかにも過剰警備、不自然で理解困難のケースでした。

教室の二〇ほどの座席はすでにいっぱいで、数人は立ち見状態。はじめようと思ったら、ドアが開いて続々と別のクラスの学生も入室してきます。どんどん増えて教室にあふれ立見の方が多くなって室内は熱気いっぱい。パワーポイントは若い日本人の男性教師が専従で扱ってくれ用意万端です。

「コンチニハ。ミナサンオゲンキデスカ」

クラスは日本語学習の初心者が多くスペイン語の予定でした。ただ最初に自らの表情筋を緩めるために、またしっかり発声するよう気合いを入れ、大声でまず日本語の挨拶。学生の反応があってスタートとなります。

トーク開始直前（プエブラ日本語学校）

約一時間のクラスでしたが延長し三、四回メキシコ人教師が補足もしてくれました。比較的スムーズに話せ学生ののりも良く自己評価は何とか合格。熱心に聞いてくれ終了後、拍手がしばらく続き実施してよかったと思えました。解散後も数人の学生が残り詳細情報の入手方法を尋ねます。

一息ついて中庭に戻るとテーブル上に和食弁当や和菓子、日本食材が並べられています。そして在住日本人数人がバザーのように品々を販売中。これが土曜日の日本食ビュッフェでした。この場で先のクラスの何人かとランチ懇談は？　と思いがよぎります。ところが彼らは食品を購入するもののテイクアウトばかりで自宅へ食べに帰ってしまうのです。また教員たちも忙しそうに午後クラス準備。そこで、おにぎりなどを並べている七〇代の夫妻に声を掛けます。

「こちらは長いのですか?」

「まだ数年です」

「もともとメキシコがお好きでいらして?」

「いいえ、以前娘が二、三年日本語を教えていて、そのときに訪ねたのが最初です。気候がいいし海抜も高くて湿気が少なく心臓病・糖尿病持ちの私も移住を決心しました。実際、日本よりずっと体調がいいです。娘は日本で就職しときどき来訪。私は日本にそのまま住んでいたらもう死んでいたかもしれません」

人生、いろいろな選択があるものです。キッカケをつくった子どもが親と入れ替わり、というのもなかなか乙な晩年の過ごし方かもしれません。わが第二の故郷が生活習慣病でレッドカードの御仁への救いになっている! このことが何とも心を和ませました。

## プエブラ自治《BUAP》大学トーク後の夕暮れ

そのあと多少時間があるので歩いてプエブラ自治《BUAP》大学言語学部へ行こうと思いました。一時間ほど歩いたところで、強い日差しのせいかクラスでの緊張のせいか疲れを感じ、バスを探すこととしました。プエブラ市は中型バスが主流、ここでも行き先の主要バス停名はバス正面のガラスに白ペンキで直接の書き殴り。ただ、なかなか読み取れず誰かに聞かざるをえません。最初に尋ねた歩行中の青年が突然驚きの行動に。彼は停車中のバスや通過するバスまで止めて、運転手に次々と行き先を訪ね回るのです。何台目かで私に向かって「これが目的地に行きます」とあっさり。まねのできない親切心に呆気にとられ名前を聞くタイミングもなしでした。バス内はほぼ満員、後方席で地図を片手に進行路線を目で追います。だが途中細い道を迂回したとき方位混乱。ただ、それまで二、三回周囲の乗客に通過点を尋ねていたのが功を奏し「次だよ、次だよ」があちこちから。で、すぐに「ここだ、ここだ！」の声が左右から、その連帯の声に押されての下車。一緒に降りた人たちもわざわざ立ち止まって大学の行き方を説明。「プエブラ人は親切」という世評を実体験、改めて「故郷」を見直すのでした。

言語学部の建物は三、四階で数棟、威圧感はありません。プエブラ日本語学校から紹介を受けた大学教員の電話連絡ではトチマヒ教師のクラスで講座の予定。広い中庭のベンチにて肉入りパンをかじったあとで彼に電話。すると、すぐに褐色の四〇歳前後の人が後方から声をかけてきました。典型的なメスティーソ（先住民族と欧州人との混血者でメキシコのマジョリティ）で物静かな人です。用意されたクラスは二階の中央、三、四〇人用の教室で学生は一六人、前席には四人だけであとはバラバラに一二人が着席。雰囲気や教師の気取らない感じもありリラックスのトーク。話し終えると三、四人の学生が自分のメルアドを伝えまた日本留学の相談も。ただ、ここでも学生たちは早々と次の教室へと。

トチマヒ教師に大学への献本のことを話すと事務長室へ案内され、役者風顔立ちの五〇代男性を紹介してくれました。快活にして気さくな人で拙著へサインも求められます。ここは日本語の学習層も厚そうだし何といっても母校です。『民族移動史』のほかに『超エコ生活モード』（コモンズ刊、二〇〇一年）も献本しました。挨拶を終えて彼の名刺を手に正門横の受付の学内組織図を見ると、言語学部長次席も兼務のようでした。母校へ何かささやかな恩返しができたようで肩の荷が下りました。ところで教師の名前の「トチ」はナワトル語で「うさぎ」。近くにはトチミルコ町もあります。氏名に先住民族起源の語彙を使う人は多くないので、同氏はかなり先住民族意識の高い人かと思われます。ただ、今回はそのことを話す時間が取れませんでした。

同氏と別れ、いったん校門を出たあとで疲れを感じて引き返して中庭に面した明るく広い食堂で小休止。そこには、学生客が一組だけでがらんとしています。椅子に座った直後、黒雲の空が突如暴発し滝のような雷雨が襲来。中庭には何十という激した小川が誕生。そのときちょうどクラスが終了。二階、三階のクラスを飛び出した何十人という学生が雨中、テラス状の回廊を全力疾走し、外階段をこちらへ急降下。奔流のようにたちまちに学生の洪水で、雨と人との二つの激流を何か風物詩のようにして見ている自分。もし外だったら水浸しで意気消沈でしょうが、休息が災難よけになりました。

スコールは一時間近く続き強烈でしたが、夕暮れのプエブラはとても美しい表情を見せてくれました。バスを探す気にはなれません。ゆっくりとこの日暮れに浸されながらホテルへ歩いて戻りたい。闇の訪れまでまだ間があり、道路の水たまりをよけながら地図にも目をくれず宿へと。街中央のカテドラルの高い尖塔がランドマークになり旅人を誘います。同学部一帯は低丘陵、また中心部の歴史的保存地区には高層建物がないのでとても目立ちます。約二時間、闇が訪れるころは中心の街灯地区へと、遠景だったカテドラルの横をすり抜けます。道からの角度によりさまざまにその姿を変えたカテドラルと変幻する夕暮れ。大空と街並の色合いとともに忘れえぬ光景となって今日の疲れを癒してくれるのでした。

## 火山の麓、トチミルコ

翌日の日曜日、オリビアの甥のエマニュエルが「見せたい、見せたい」と強調していたポポ山麓の訪問。トチミルコ町には正午直前に到着。「修道院からポポを仰ぐのは壮観」なのですが天は味方せず雄峰は厚い雲の中。修道院は正面いっぱいに天井近くまで巨大でカラフルな壁画。「あれ、何かわかりますか」とオリビア。近づくと球状物が何千何万と貼り付け。よく見れば五、六種類の豆そのもの。十数メートルの正面壁全面が豆壁画なのです。

入口には『わが聖母は人々のために祈る』と書かれています。中には幼子のキリスト立像、その周囲には献納された百態のおもちゃが展示。ふと水子地蔵のイメージに通じ、幼子の健康への祈りと早逝児への慰霊かと理解できました。そのとき、オリビアの声が後方から反響。「タカさんは多くの教会に行ったからもうカトリック教徒ですよ」。小会堂には『私はいのちのパンである。そして、私は永遠に生きる』(イエスの最後の晩餐での言葉とか)の文字が掲示。「生きるものは活かすもの」。心に食い込む言葉です。修道院の先の掲示板にはポポ噴火時の避難経路地図が貼付。この種の地図はメキシコで初見、周囲の地形も詳しく描かれこの場所も避難対象地区。もし大地が騒げば、ここで「永遠に生きる」ことは至難のようです。

近くで昼食後、車はバスターミナルへ。一家と別れオリビアだけが残りました。彼女は立入を禁ずる係員を「外国人で言語不案内」と説得し乗客用待合まで見送りに来てくれました。彼女の日々の生活の楽しみについて聞きもらしていましたが、別れの挨拶をかねて、むこうからふれてくれました。「オルガン弾き、音楽鑑賞、読書のときがとても幸せです。母と静かに過ごすこと、毎日教会で祈ること、そうすることで本当に心が落ち着きます」

しばらくしてバスの車窓から、八月にオリビアたちが案内してくれた新発見のピラミッド群が遠くに見えました。それが一家に別れを告げるシンボルのようでした。すぐに視界から消え、睡魔が訪れバスはメガポリスへ直行していきます。

メキシコでのささやかな「フクシマ講座」はケレタロ市、メキシコ市、ハラパ市（後述）と進み開催日時調整で一番手間取ったプエブラ市を最後に終えました。四都市の日本語学校と大学の日本語学科ではほぼ予定どおり開催、他市のいくつかはまたの機会となりました。それ以外に各地の家庭や研究所などで数人から一〇人前後集まっていただき、二〇回近く話す機会がありました。

今回のメキシコ滞在ではぜひ、福島と地元松戸などの原発事故放射能被害と原発の抱える問題について、日本語クラスで語りたいと思っていました。離日前は教材の用意が進まず、訪墨後にかなりの時間をかけて準備。教材の日本語版レジュメでは「福島」をどう表示するかが課題でした。というのも福島の人の「『フクシマ』表記は故郷ではないようで好きになれない」という声が気になっていたからです。被爆地ヒロシマやナガサキ同様に被曝地フクシマはいまや世界にとって銘記すべき場所。ここでカタカナを使ったのはそういう意図で、福島の方々にはご理解いただければと思います。

千葉県北西部の初期被曝は、福島以外の被曝地の一例としての紹介です。個人体験として責任を持って伝えられる範囲で取り上げています。なお、日本でも理解が不充分ですが松戸市、柏市、流山市など千葉県北西部では原発事故直後の大気中放射能汚染が、福島の浜通りの南相馬市北部やいわき市南部、また中通りの各市町村より高いところもありました。そのこともメキシコでよく伝えるようにしました。というのは、原発から二〇〇キロ離れた地点でも風向きや天候によってかなりの被害を受けること、また福島県でも汚染度の低い地域が多くあることも知ってもらいたいからでした。

それぞれの場で参加者に基本的質問をして、有力大学の学生でもその深刻さが理解されていないのを感じました。ただ、これは日本でも「3・11」以前の状況を考えれば同様でしょう。

既述のように質疑応答で「使用済み放射性廃棄物が人体に悪影響しなくなるまでの年数」に対して、ほとんどが「三〇～五〇年」、時に「一〇〇年～三〇〇年」の回答。「一〇万年」の真実は即座には理解困難なようです。それは無理からぬことです。多くの国でそれを知らずに、あるいは正視しないで長く原発をつくり使ってきたのですから。

こうした質問のあとで次のことを伝えます。日本では全自治体からの反対で、政府はまだその高濃度放射性廃棄物の最終処分地を国内で決められないこと。また、国内建設が無理だろうとモンゴルにつくろうとし新聞記者にすっぱ抜かれ中止したこと。日本に住む者として、危険な自国のごみを他国に移そうという政府の行為はとても恥ずかしいことなども知ってもらいます。

「世界でただ一カ所、最終処分場を建設している所がありますがどこでしょう?」の質問には、ほぼ回答がありません。「北欧のフィンランドだけです。そこの地層は硬くて何億年も動いていません。それに比べて日本列島は数千万年前にできた新しい陸地で火山列島でもありとても不安定です。最終処分場はとてもつくれるものではありません」とも説明しました。一度、クラスで女子学生が「メキシコには最終処分場があるはず」と発言しました。どうもそれは中間処理施設のようです。

各地で話をしながら「原発はコントロールされている」との嘘で世界を欺き、東京にオリンピック誘致をした安倍首相の罪深さを痛感しました。「もう原発事故処理作業も終了、原発に関して何も問題がないと思っていた」という学生の発言がよく出ましたが、未来と若者をだましたこの嘘の犯罪性を見事に現しています。

同時にもっと福島の人にも、広島・長崎の方たちのように世界各地を訪問し発言の機会を持っていただくことが必要と痛感しました。直接被害者の方は心理的に苦しく経済的にも難しいでしょう。東電トップへの刑事訴訟や損害賠償訴訟などさまざまな裁判もかかえています。しかし、一部取り組まれていますが、支援団体などの協力でもっと世界への発信体として動けるよう、とりかかるべきではないでしょうか。松戸周辺は「軽い」被曝地ですが、すでに二〇一四年あたりから子どもの甲状腺被害などが報告されだしています。原発内部の事故処理はもちろん、周辺でも除染作業に長く関わった人や、排水溝など汚染水が蓄積した場所で長く時間を過ごした子どもなど、今後被害の顕在化が危惧されています。ヒロシマ・ナガサキの教訓と被爆者を中心にした人々の絶えまない運動が、その後の核戦争防止に働いてきました。同様に、フクシマの声が核発電の終結を促進し、地上からの核利用の廃絶に向ける力となることが求められています。

## ベラクルス市──カリブ海浜の街

メキシコ唯一の原発が鎮座、しかもダム建設予定が目白押しの土地、ベラクルス州への旅はカリブ海岸の港町ベラクルス市からはじまりました。栃木市や山梨市が県庁所在地ではないように同市は州都ではなく、原発の南西約六〇キロに位置する丘の街ハラパ市がそうです。

各地での講座で日本の「原発銀座」の福島・福井に共通する「福」の意味を伝えます。すると一瞬「耳を疑う」表情や苦笑顔が出現します。事故不安と「福」とのイメージ・ギャップからでしょう。同州北部のカリブ海沿岸にラグーナ・ベルデ（緑の潟）原発が*二基位置しますが、「緑の潟」にも豊かな自然イメージで原発の猛毒実態を薄める効果、言葉の魔力は恐ろしいものです。

メキシコ東海岸線上の立地はフクシマ原発の位置の本州東海岸を思い起こさせます。北半球には常に西からの強いジェット気流が流れています。事故時に放射能雲が東に向かうので原発立地にも被害縮小化の目算がありますが、実際は大違い。「風の行方は風も知らず」で北西や西、また南にも流れ同県北西部や関東などでも放射能被曝が生じたわけです。

フクシマの場合、東方はハワイ諸島まで三〇〇〇キロ以上。しかし、メキシコの東方わずか一五〇キロメートル先にはキューバがあります。同国は賢明にも原発計画を中断、日米や旧ソ連（現ウクライナ、ロシア等）、またほかの核兵器保有国のように原発事故や核実験で放射能加害国になることを回避していきます。だが西方の隣人たるメキシコ、また、米国やカナダにより被曝させられる危険に常に直面しています。ただ、今後、日米やロシア、中国などからの原発押しつけの可能性もあります。

　ベラクルス市といえば三五年間連絡していなかった友人ウルキオーラ氏が思い出されます。彼は造船や重機製造で知られる日本の大企業で研修しました。彼の住所変更を知らず今回再会はあきらめていました。だがネットで調べてコンタクト成功、珍名はその点好都合です。電話するととても懐かしんでくれ熱心に来訪の誘いです。彼はレスラー並みの大柄で筋肉質の身体ながら実に繊細、日本での研修中はストレスに悩まされていてよく話し相手となりました。

　同市は歴史上きわめて重要な位置を占めています。一六世紀の初めスペイン侵略軍が最初に上陸し、ここから中央部アステカの首都ティノティストラン（現在のメキシコ市）に進撃。また今日も有数の貿易港で、彼はその中心地育ち生粋のベラクルスっ子。バスターミナルに降り立つと、彼はそのすぐ横に車を着けその到着時から三日後の別れまで自営の仕事を仲間に任せ、街案内や地元大学との講座開設交渉まで一緒でした。

　この地は亜熱帯でセミ常夏世界。他方、首都メキシコ市やプエブラ市、ケレタロ市などは海抜一五〇〇から二四〇〇メートルに位置し一日の天候変化、朝晩の寒暖差が大きいのと対照的です。訪問した六月中旬は高温多湿でシャツが水を浴びたように汗の餌食。巨漢の彼はシャツを汗で染め、教会や中央広場、博物館や官庁など名所・旧跡を案内。それだけでなく港湾の諸施設、商店街、幼なじみがオーナーの魚屋やミニ魚市場、図書館なども次々と同行、ただ感激でした。魚介類は彼も大好物で種類も多く巨大魚も店頭を彩ります。「スープ用」「フライ用」「焼き魚用」などと料理法で魚種を分別して販売されるのがユニーク。またメキシコでは、市場以外に魚屋が少なく、めずらしい街歩きとなりました。中心地散策の数時間に、行き交う一〇人近くに挨拶し「中心街育ち」が見事証明されるのでした。

彼は娘一家と一緒に「フクシマ」を語る機会を用意。彼女は建築家で六歳児の母親、フクシマの子どもの被曝問題に関心を持って聞きいります。ただ「ここではもう原発増設はないし飛行機が衝突しても厚い壁で防御」とコメント、日本でも膾炙される話を信じていました。原発の壁は充分に厚くとも天井部分は薄く、また配管など衝撃に対して弱点も多いのです。

彼の親切が余って失敗も生じました。二日目レストランへ朝食に招かれそこで偶然彼のベラクルス大学（UV）時代の教師夫妻と隣席に。旧友はさっそく、同校の言語学部の様子を聞きだしてメモ。それを参考に食後、同大学ベラクルス校の事務室を訪問することとなりました。私がまず大学職員へ特別講座を提案。横の彼は私のアプローチを弱腰とみたのか、勢い込んで自らの日本語教育体験を職員たちに語りはじめます。そして「長期に当地で日本語指導を希望」と予期せぬ説明も。案の定、流れは「教育ビザを取らなければ」と進みます。私は「いや数日、数回でもいいので」と話を戻します。だが責任者の頭には、「長期滞在での指導が本音」と刻まれ「ビザ必要」の一点張り。その後のわが友の三〇分以上の奮闘も徒労でした。二人揃っての落胆。だが実はベラクルス大学《UV》の本部は同市ではなく州都のハラパ市、可能性は残されているのでした。彼は私を励ましつつ車で街へ誘い出します。

港湾都市ベラクルス市は街の開放感がキューバのイメージと重なります。早朝から中高年男女が海岸で二〇人、三〇人とグループでリズムに乗って踊り風の体操、沿岸のレストラン、カフェ、売店には海の香と日差しがいっぱい。

「三五年前より街が大きいですね」

「まったく変わりました。その辺一帯はただの海岸でした」

と次々と示される場所は広大、地図には海岸沿いに新街名がいくつも記されています。

「それじゃ皆さん経済的に豊かになったのでしょうね」

「先ほど見えたのはホテルでなくて金持ちの私邸で、あの程度の邸は結構多いですよ。一般の日用品の種類も量も増えたけれど物価は上がるし暮らしは大変、私も当地で気に入った就職先がなくカナダ移住も考えました。バンクーバーに数回行き半年滞在し、居住や仕事の条件など調べました。メキシコは給料が低すぎで大学卒の初任給が三〇〇〇ペソから五〇〇〇ペソ。しかも働いた分の多くは政府の懐に。ベラクルス大学《UV》でも学生寮がなく学生は大変苦労しています」

「生活上で北米自由貿易協定《NAFTA》の影響はありますか」

「得をしたのはアメリカとカナダだけ。メキシコは損ばかり」

彼は余裕の暮らしに見えるのに意外な言葉です。

結局彼はカナダから故郷に戻り今の商売をはじめてほぼ順風満帆の日々。以前は技師として地元の代表的造船所で勤務していました。一九七〇年代の日本での研修後いったんは職場復帰、数年勤務後に自営の工作機械の修理工場を立ち上げました。私は留学中の一九八〇年にそこを訪れ、当時は経営が順調、その後傾いたようです。そして薬品販売業という大転換。昨今はメキシコでも健康志向ブームで、親族経営でコスト削減し生計は充分成り立っています。彼は二〇年前から薬学の勉強をはじめ薬剤師資格を取り、自然材料の薬品を開発し販売しています。私が日本での成人病や精神疾患の増加、減らない自殺、少子化などを話題にすると興味深そうに聞いていていました。

バスターミナルで別れ際、彼は冗談めかしてひとこと添えました。

「次回もまた『三五年後に訪問』なんて言わないで」

「そのとき、私は一〇〇歳ですよ。無理ですから三年か五年目くらいには」と返します。

「いや、毎年。それよりもここで鍼灸治療院の開業を。需要が多いですよ」

真顔での提案で、眉間にしわを寄せて話すその表情に、ふと若き日の彼を思い出し、ときが一瞬にしてワープしました。無理をしてでも来てよかった。別れの抱擁、街案内の汗でじっとりした彼のワイシャツに触れました。三日間フル同伴の彼の好意にややしんみりします。彼の自宅の裏庭で星空の下、子ども・孫たち八人家族一同との夕食とともに忘れがたい記憶となったのです。

**＊原子力発電所ラグーナ・ベルデ**　カリブ海に面した二基の原発は一九七六、七年から工事を開始し九〇年と九五年に完成。ハラパ市北東六一キロでベラクルス市北方七二キロ、また首都の北東二七二キロに位置し計約一六〇万KW、同国総発電量の二～三％程度です。計画当初から「核利用反対・ベラクルス母の会」などが反対運動を展開、不適正な測定など安全性に関して抗議。これに対して電力公社《CFE》はIAEA（国際原子力機関）などの「危険はない」を楯に建設を押し通しました。この原発は二〇〇七年や〇八年に国家品質賞などを受賞、そこに政治的意図を感じます。フクシマ原発事故以降、再び安全性論争が活発化していますが政府は静観。「日本の原発建設状況・条件とメキシコでは共通点が少ない。メキシコのは新し

い」をその理由にしています。

既述のように大学生でも自国の原発の存在を知らないこともめずらしくありません。一方、原発知識のある人からは「ハリケーンの高潮で冷却水の逆流被害が出ているが政府は未公表」とか、「設備が老朽化、メンテナンスがうまくいっていない」など厳しいコメントを聞きました。なお、ベラクルス大学《UV》での講座の翌日、現地の新聞で「電力公社《CFE》が原発増設計画中」記事がWEBに掲載。偶然のタイミングでしょうがわがトークへの「あてつけ」と警告を感じました。ここでの事故はメキシコにとどまらずキューバ、中米諸国、カリブ諸島国にも甚大な影響を与えます。

## ハラパ市——高原の学術の街

海浜の街ベラクルス市から丘陵の街ハラパ市までバスで約二時間、再び高原の生活人へ戻ります。着いたホステルは小ロビーに暗い照明、打ちっぱなしのコンクリート階段で第一印象は今ひとつです。ただ二階は採光がよく灰色むき出しの床も共用シャワー室もほどよい清掃。問題は一泊一七〇ペソ(約一四〇〇円)の部屋の現況ですが、二段ベッドが三列で先客が一人。相部屋泊まりは三人以上だと互いの距離が自然なバランスを維持しやすいですが、二人だけの場合は相手のタイプが気になります。がっちりして肉体労働者風の彼は五八歳の教員。バス八時間の地方からの会議参加で一泊の予定。六人部屋に二人、一人分スペースとしては個室並みの使いよさです。

原発への関心が低いメキシコでも当市では反原発活動が展開、離日前に日本の友人からメンバーを紹介されていました。約束通り一九時にラファさんという女性がロビーへ。私よりやや若く五〇歳くらい、度の強いメガネのせいか日本でもよく見るインテリの顔立ちです。千葉大学留学後に関西在住、夫氏も関西人で何とも流ちょうな大阪弁にビックリ。最近の日本事情などを話したのち近くのカフェへ移動します。まもなく仲間が数人登場。一九七〇年代の当地での原発建設計画当時から反対運動を続けている中心メンバーたちです。私が持参した写真や資料を広げ、ラファさんの協力で要点を伝えます。

『核利用反対・ベラクルス母の会』は、ベラクルス大学《UV》ハラパ校の心理学教授のクララさんらが中心メンバー。同世代の彼女は、毎週土曜日に市内の公園で反核・反原発のスピーチを二〇年以上も継続しています。この会以外にもほかにふたつの環境団体からも参加者があり、大学の講座での予行演習のつもりで「フクシマ」を語ります。示した資料を彼らはパソコンで次々とスキャン、会の行動力は高そうです。そこでの課題は問題意識を次世代にどうつなぐかという世界共通のテーマでした。

「私たちより前の世代は反原発運動に参加しません。私たち世代は多様な職業の人が運動していますが、次世代は『反対しても結局、建設されてしまった』、『三〇年間問題は生じなかった』と傍観しています」とラファさん。

メンバーのガルサ氏はこう付け加えます。

「当州の運動がメキシコ唯一の反原発運動でしょう。当初は農民や教員も参加し強力でした。ただGE社（ジェネラル・エレクトリック社。米国の巨大電機メーカーで原発も製造）などに資料を求めても無駄でした。八〇年代はミチョアカン州での原子力研究所の建設反対運動もありましたが」

私からの市民自身による放射能測定活動の提案は賛同を得て、基準値オーバーの対応で意見交換しました。「メキシコでもフクシマの事故で人々は再び関心を向けていますがまだ一部です。今回の講座を運動活性化の機会にしたい」とのことでした。大学が夏休みに入るので講座は八月末か九月の開催に。地元の新聞社にも働きかけるので万端の準備を痛感させられます。

ホステルに戻ると夜一〇時、空腹のまま寝ようかと受付の女性に話すと自分の夜食用パンを分けてくれて、宿の印象は一気に向上したのです。

## ベラ《U》クルス《V》大学

翌日は約束どおり旧友マリオ氏宅を訪問します。居間にはレコード・ミキサーが二台も、また壁一面に現役時代の勤務先である各発電所の大サイズ写真が展覧会並みに貼られています。思い返せば七〇年代半ばに、彼は佐久間ダム現地事務所で研修していて、そこを状況確認で訪れたことがあります。職員もわずかで彼はさびしさを託《かこ》ち、訪問を大歓迎されました。現在の生活はといえば表情はさびしげで居間は雑然。夫婦別居中で二〇代の息子と娘は母親と同居。彼は「二七三〇枚」が自慢のレコード収集マニアでときにはディスク・ジョッキーもこなします。

「市一番のコレクターですね?」「いや二番目、三〇〇〇枚の人が」だそうで、マニアはここでも健在。一階の三室はレコード盤のほかに何種もの音響コンポも天井まで届きもはや倉庫です。どうも母子三人分の元部屋のようで趣味が別居の原因か結果かは聞けませんでした。「ビンボウデス。ハタラキタイデス。デモ、シゴトナイデス」。ミスのない日本語を懸命に使用。その後彼はランチに招いてくれて近くの高級店でコース料理を注文します。「ビンボウ」を耳にした直後、同類としては「自分の分は払う」と言わざるをえません。しかし「テ・インビト（私の招待です）」とここは日本語を避けてきっぱりと拒否されます。

午後のベ《U》ラクルス大《V》学言語学部訪問に「一緒に行きますか」と誘うと、予想に反し快諾。玄関前には「三〇年以上使用」のカブトムシ型のドイツ車。ただ「街を知るため歩きたい」というわが希望にすぐ同意してくれました。

大学は樹木に囲まれ三、四階建ての校舎が数棟で清涼感いっぱい。さっそく、日本人教師のクロサキ氏にお会いします。四〇歳前後、スポーティで歯切れもさわやか、講座開催の趣旨説明への反応も敏感、マリオ氏にも話題を振り気遣いもなかなかです。拙著の献本にも「『ベ《U》ラクルス大《V》学言語学部へ』の明記と自著サインを」と懇切丁寧。特別講座も「八、九月なら」と前向きです。案内された図書室の日本語文献コーナーでは私の元勤務先の日本語教材も完備。マリオ氏は研修当時の旧版を懐かしそうに手にしています。日本語再学習への意欲旺盛な彼に、クロサキ氏は「社会人クラスも開設中」とのお誘い。

その後再びマリオ氏と歩き、パンを三個ずつ持ち帰りホステルのロビーでかじり夜遅くまで語り合います。彼の六二歳のいとこは豚肉の寄生虫に脳を冒されて療養所暮らしとのこと、いとこの両親はすでに他界し、妻子もなくマリオ氏が見舞いやケアの日々だそうです。米国へ移住したその人の兄姉の送金でケア費用を工面しています。食事と部屋代で毎月約三〇〇〇ペソ、平均的メキシコ人の給料分です。

さて、今晩のホステルは六人部屋を独り占め。昨夜拝聴させられた豪快ないびきに悩まされません。

翌朝、ベッド横の窓から青空と巻雲が覗いています。日本の初秋のようで六月の空の天高い白雲には意外感。過日のベラクルス市では連日、海上の積雲と積乱雲のスペクタル鑑賞、改めてここが高地と思い起こされます。「春」に二市で山と海、巻雲と積乱雲を味わい、再会の懐かしさと不思議さをかみしめます。「再会は再生への第一歩」「一期二会、三会」と奇想幻想。とはいえ人は日々変化、「一会はやはり一会」。

昨日、クロサキ氏から聞いたベラクルス大学《UV》国際連携室はホステルから至近、会議室中心のアンテナ校で官庁風の事務所です。日本人職員のクドウさんは長身でスマート、雑誌の表紙を飾るような三〇代半ばの女性。同僚のルシアさんと同席で熱心に私の提案に耳を傾けます。二〇代のルシアさんは五年以上の日本語学習歴で実に流ちょう。八月下旬に当地で二週間もの『日墨交流四〇〇年祭』が開催予定、その最中の講座実施案が出されます。予期せぬ幸運で天が味方？　この間アポなしに近い直前連絡で押しかけ依頼にもかかわらず温かい対応が続きます。

だが「ただし」がありました。日本政府関係者が期間中に『エネルギー問題』を講演予定。それに反論するような内容だと主催者として困るのです。で、講座は「非公式」開催の可能性も。こちらとしてはともかく「機会と場所さえあれば」と感謝した次第です。『四〇〇年祭』企画の詳細は日墨双方で詰めの開始段階、その具体案は後日通知ということになりました。

午後はケレタロ市のミタニ氏から紹介されたヤハギ氏と彼が創業した日本食堂で懇談。現在、彼はベラクルス大学《UV》芸術学部の教員で同時に彫刻制作活動中のため店は親族に任せています。移住直後はベラクルス大学《UV》日本語学科で教えクロサキ氏の前任者。同氏からは当地のダークな話も披露されます。

「この地は現在、斜陽でしょうね」

「落ち着きがあって緑も多く人も穏やか、街中心に大学の総合施設が揃いとても気に入っていますが？」

「以前は学生であふれていました。激減の理由は米国政府が一帯を麻薬警戒地区と指定し留学を控えさせたからです」

この話で日本の二〇一四年版観光ガイド本への違和感が氷解しました。三五年前の本では同市をかなり紹介していましたが、新刊本では市内の博物館の掲載だけ、数行の扱いだったのです。

翌朝バス・ターミナルへは徒歩五〇分で到着。車窓からハラパ市郊外を見直してみると、丘状街で尾根道から低く見える家並と広い青空と白雲は旅情を誘います。八月に講座のために戻るのが楽しみとなりました。

米大陸には北から南端までロッキー、シエラ・マードレ、アンデスなど大山脈が連なります。その中央部分は松などの日本の山間部植生に近い樹木帯です。三五年前、車窓の松林が印象に残ったのですが今はあまり目立ちません。観察不足なのか路線変更なのか、それとも植生の変化かよく確認できませんでした。

## ビクとの再会

ハラパ到着の翌朝、約束の時間ぴったりにビクはやってきました（第二章「四二年ぶりということ」参照）。久しぶりの友に最初に言ったのは「時間厳守ですね」。「いつもそうです。メキシコ人が直さないといけないことですから」と、相変わらず几帳面な彼です。私は内心寝過ごさなくてよかったとホッとしました。髪はゴマ塩だが頭髪後退は回避、他方、同年齢の当方は白髪で大後退、彼の方が若映りでしょう。ただ、一八歳から同体重の私より彼は肥満気味で総合評価は五分五分。とにかくランチをはさんで午後まで話が途切れません。彼との再会はとても幸運。というのは実家の転居で彼とは長年音信不通でしたから。八月、メキシコ国立自治大学《UNAM》での講座直後に帰国研修生同窓会の事務所を訪問しました。すると偶然ですが、彼が直前、そこへ新住所を知らせていたのです。まるで私が来墨するのを知っていたかのように。

ベラクルス大学《UV》などではじまった『日墨交流四〇〇年祭』の書道・絵画展に彼を誘います。彼は高血圧と糖尿病対策で散歩が日課、車なしの行動にすぐ賛同、こちらは友情を確認したようで満足感がよぎります。市のシンボルたるベラクルス大学《UV》はキャンパスも広大、丘頂の新設図書館まで往復二時間、丘面は一面芝生で下方に池と公園、展望も最高です。ただ絶景を前に彼は人の気配を気にし現州知事の汚職問題や麻薬マフィアとの関係を噂される前知事の暗殺事件を小声でひそひそ。

いったんホステル近くへ戻り今度は彼の車でベラクルス大学《UV》言語学部へ。交流行事の一環でクロサキ氏が公開クラスを予定していて、先の講座開催の再確認と日本語クラスを知る絶好の機会です。ところが教室前でいくら待っても同氏は現れません。氏の代わりのように学生らが私たちを教室へ招き入れ、パワーポイントを駆使し日本語でおとぎ話『六地蔵』の発表を開始します。ストーリーも台詞もよくでき、画面もきれいで楽しめました。途中からクロサキ氏も参加し発表後にビクを紹介しましたが、クロサキ氏の雰囲気が六月とは一変しています。心がここにない風で講座実施の懸案を切り出す感じではとてもありません。「行事担当なのですみません」とすぐに退出。彼の双肩に行事進行が重くのしかかっているようです。

その後、ビクが自宅へ招待してくれました。父親の存命中は一緒に木材業を自営した四階家の半分は保管倉庫として使われています。二階は広いLDKで、テーブル上に薬がいくつも並んで、闘病生活が想像されます。三〇年前の米国人との結婚生活は一年だけで幕となり、「結婚はこりごり」。病持ちで独身生活、ただ周到に手は打たれているのです。

「二週に一回は近隣の友数人で会食します。特に親しい二人には万一に備え合い鍵も預け、処理手続きを伝えてあり安心です」と同年齢者には実に参考になる話。六〇代半ばとはそういう年齢、まだ何十年も歩き回るつもりの方が現実離れか。車でホステルへ送られる途上、私のケータイにコール音が響きます。『母の会』のクララ教授からで、明朝、夫のエクトール氏がホステルへ行くとの連絡が開催ぎりぎりで入ったのでした。原発から最近郊の都市でフクシマを語る機会です。ビクも参加予定で勇気一〇〇〇倍。

## フクシマトーク

翌朝、エクトール氏の車でベラクルス大《UV》学心理学教室へ開始三〇分前に到着。すでにクララ教授は教室の周囲に写真パネルの並べ中。八〇年代からの人々の原発反対行動の写真、また放射線による奇形動物などショッキングな画像展示も準備済み。まもなくビクが入室、有言実行で時間厳守の人です。学生は徐々に増え開始時間には五〇人超。ともかく一時間少々説明し、ほぼ同時間を質疑応答に使いました。原発に近い街だけあって具体的な質問も出て関心は旺盛です。

「電力会社や政府の発表が信用できないとすれば私たちはどうすればいいのでしょう?」

フクシマの原発事故での情報隠しを述べたあとなのでごく自然な質問でしょう。メキシコでの政府への不信感は日本以上。この種の質問では事故以前に千葉県柏市に住んでいた同世代の知人の経験を紹介します。

彼女はチェルノブイリの原発事故(一九八六年、旧ソ連、現ウクライナで発生)以来長年にわたり反原発の市民運動を続け、しかも自宅付近の大気中の放射線量をほぼ毎日測定してきました。二〇一一年三月の東電福島第一原発の事故直後からその観測値がどんどんと上がっていきます。公式発表では「千葉県の放射線量は事故前より数倍高いが危険な状態ではない」としていました。しかし彼女の測定では二〇、三〇倍。「緊急事態」と友人や市役所、マスメディアに伝えます。だが「素人の観測」より「プロの発表」が優越し無反応のままです。より強力に訴え仲間たちも測定器を購入して計測開始、彼女の正しさが証明されます。

厳密には千葉県の「プロの発表」は間違いというよりゴマカシでした。当初、総面積四〇〇〇平方キロ以上の県内で、公式の測定点は市原市だけ。それを全県平均データのようにして発表していたのです。しかも人の呼吸位置の地上約一〜一・五メートル高で測定しないと意味がないにもかかわらず、地上七メートル地点での測定。この大事故以来、日本では多くの人や自治体が測定器を手にし大量需要で販売価格も低下しました。そこでの質疑応答ではグループでの測定器購入と定期観測を勧めました。

トーク中の意見交換（ハラパ市ベラクルス大学）

この日の講演では教授らはパワーポイント要員を確保、大スクリーンもあり準備面は万全でした。ただ、私が気負いすぎ一部を飛ばす反省材料もありました。一時間以上の全文暗記に無理があり、手元に原稿を置き、詰まったらペンライトでチェックし進めるべきだったのです。ありがたかったのは再生可能エネルギーの質問が出たときのビクからの追加の詳細説明です。メキシコ市での講座時のルイス夫妻同様に、ここでもまた元研修生に助けられたのでした。

新学期開始直後なので「クラス後の茶会」は期待せず、予想どおり次のクラスへ急ぐ学生が目立ちました。この機会を準備してくれた地元に感謝しましたがビクの反応は違ったものでした。修士・博士課程と米国生活が長かった彼の意見はこうです。

「米国では、たとえ持ち込みの会であっても地元向けの開催ですから謝金を用意します。また講師をねぎらって会の終了後には食事や喫茶に招待します。今回の主催者の対応はいいとは思えません」「原発事故で世界を汚染した国の住人として、機会を持てただけでもよかった」とホンネで返答しても彼は納得しません。後日、彼は三〇年ほど前に当地へ移住した七〇代の親しい英国人女性にこの件を話したそうです。彼女もビクとまったく同意見。そこで私なりにカトリック文化や仏教、イスラーム文化と重なる「喜捨」精神との関連を推定しました。これらの文化では金銭や財物はもちろん知識や経験も「持てる者」から「持たざる者」へ代償を求めずに与えるべきと考えられています。しかし「プロテスタンティズムの倫理」では「資本主義の精神」が諸場面で貫徹。準備も含め時間、消耗品代や交通費を使い講演した以上「お礼」は当然。日本でも江戸時代にオランダと、「開国後」はドイツや英国と、戦後は米国からの影響でその「倫理と精神」が浸透したのでしょう。

六月の訪問時、特別講座へ協力的だったベラクルス大学《UV》の二人から、その後いっこうに連絡がなくクドウさんに電話をかけました。すると「今、言語学部講堂で学生たちと交流会中です。すぐ来られるならトークの時間を取ります」と唐突なお招き。めずらしくタクシー利用で駆けつけ講堂内の広いロビーへ。フクシマトークの時間は限られ三〇人ほどの聞き手も立ったまま。持参の地図とポスターを使って手短に現状報告、特に子どもの健康問題に触れました。若い人が多く、漫画家ちばてつや氏による脱原発の絵を使って説明しました。皆さん真剣な表情でした。

話のあとでクドウさんからひと言。「もっと時間が取れるとよかったのですが、微妙な立場もあって『交流祭』で機会を準備できずスミマセンでした」。理由の説明はなく、こちらもあえて聞きません。日本の関連機関への「忖度」と推測。「話の時間は長くなくてもいいのです。ねらいは特に若い人への原発問題を考えるきっかけの提供。今日の機会をいただき感謝します」とホンネで伝えました。

## ハルコムルコ町——ラフティングのメッカ

その後すぐメキシコ市に帰る予定でしたが、ビクからの周辺案内の誘いやハラパの街に魅了され、滞在を延長することにしました。街全体は緩い傾斜地にあり、ギリシア風にアゴラと呼ばれる中央広場からの眺望も抜群。遠景に四〇〇〇メートル級のコフレ・デ・ペロテ（先住民族名でシトラルペトル、原意「星の山」）と裾野の濃厚な緑の山並み、さらに先には白雪のピコ・デ・オリサバと帯状の青い連山が臨めます。アゴラからは下方の街並みも一望。眼下にベラクルス大学《UV》の分館、細長い人造湖、遠方に大学本部や図書館も森の間に展開。またアゴラの隣には新しい五階建てのカルロス・フエンテス（著名なメキシコ人作家）図書館、自習室は広くコンセントも多くて使い勝手が抜群です。

この地で特に惹きつけられるのは自然の豊かさです。バスで一時間もしないクアテペク、ヒコなどの地は森に浮かぶ街の様相。メキシコの大自然イメージは、北部が砂漠と疎林と渓谷、南部は熱帯・亜熱帯雨林の密林、そしてこの辺は南部への回廊のように思えます。ビクとこれらの街のコーヒー園や滝などを巡り、見事な円錐台の丘陵も近くで目撃しました。

「昔からピラミッド説があって最近ようやく調査開始したのですが、予算不足でいったん中止です。次回の来訪時は新名所になっているかもしれませんね」

近年も各地で遺跡の新発見が続いていますから冗談とも思えません。

次の週には、もっと奥地のハルコムルコへ行くことにしました。低い山並みを左右に道の両側は二、三メートル高の雑草地やサトウキビ畑。三〇分ほどで郊外の集落を抜け一気に大高原地帯が展開します。遠景の平らかな山稜と周囲を包み込む深い緑が目にしみ、やがて土色の山壁や断崖も。と突然、道路の両脇に三、四つのテントが出現。『ダム建設反対野営地（カンパミエント）』と読み取れます。テント横にはソーラーパネル、老壮青年の六、七人の男性がゴザ上や木製椅子に腰を下ろし堂々と車の通行を見ています。そこから約一五分、ハラパから一時間少々で目指すハルコムルコに到着です。

午後八時ですがまだ明るくひと安心。広場でバスを降り、近くの雑貨店で老人からバス時刻を見せてもらいメモします。一日に七、八便もハラパ行きがあって、さほど辺鄙ではないのです。英文ガイド本のホテルは意外に近く「さあ、値引き」と受付で意気込むと、三〇〇ペソ（約二四〇〇円）。記載より一〇〇ペソも安くて気をそがれ即諾しました。壁はカラフル、清潔で二階部屋横の細い外階段が屋根上へ通じ、さっそく上ると全方位を見渡せます。高い建物がなく、連なる屋根のオレンジ色と家並みの白壁とがほどよい配色。四方はすべて山、ただここが日本列島とは見紛いません。というのはところどころ山がテーブル台地状で土色むき出しの絶壁だからです。山麓の森からは白い煙が二条三条、遅い夕餉じたくでしょうか。見下ろした家屋の間からは子どもたちのはしゃぎ声が、反対方向からはせせらぎが耳をとらえ人の心に深い安堵を与えてくれます。部屋は蒸しますが屋根上では微風、まもなく闇が深みを増してくる時間です。星空と夜の帳に包まれる山や森、外灯に浮き出る赤屋根の街並み、しばし「屋根の上の詩人もどき」の気分でした。

## 夜更けの人模様

屋根上人から地上人に戻りさっそく街へ出ます。もう車も通らない路上で子ども集団が駆け回っています。オレンジ色の街灯は子どもたちをシルエットに変じて、まるで舞台上の踊りのようで服装も年齢も性別もいろいろ。オバさんたちも子どもに交ざり路上野球に夢中です。日本の完全ユニフォームで個性が見えない管理少年野球の対極にあって、ふと自らの子ども時代を思い出します。別の路地では路上の大テーブルに一〇人くらいのゲーム集団。少し歩くと、今度は椅子を何十も出し、成人男女三〇人くらいが真剣な表情で会議中です。聞けば会議ではなくて、若いころに勉学機会がなかった中年の人々のための夜間学校の授業でした。これを見て、地元の松戸市で夜間中学運動を二〇年以上続けている友人たちの顔が浮かびます。近くでヤモリが「ケッ、ケッ」と何かうれしそう。いいエサを見つけた？　家々の軒先でひとり椅子を出しボンヤリと座っている老人。軒先のやわらかな街灯。

夕暮れの屋外「夜間中学」（ベラクルス州ハルコムルコ）

椅子を並べて談笑している人たち。立ち話に入れ込んでいる中年女性のグループも。中高生らしいのは彼らの仲間たちで、中年は中年どうし、老人は老人たちで三々五々が更けゆくときをともに過ごしています。ヤモリが話に加わりたそうに「ケッ、ケッ」と再び。

中心広場では夜半でも教会のドアは開けたまま。それが安心感を与え、町の平安を象徴する力は想像以上です。信仰を標榜する人々はかくあってほしいもの。「常に来たれ、あなたの居場所へ」と呼びかけているようです。

チワワ州クリール（後述、第四章）では日曜の短時間しか教会が開放されず当地と好対照です。ただ、信仰場所と開放程度の違いは仏教寺院でも同様で、ごく身近の地元松戸の寺でも次のタイプがあります。終日完全開放型、「用あり」開放型（「用件ない人、立入禁止」の立札あるも立入自由）、開放時間限定型（しかも入場料必要）。宗派や当主の発想の差とともに治安状態や観光地かどうかの要素も大きいのでしょう。

中心広場は教会前の中央広場とは別に、隣接のバスケット・コートと路線バスの方向転換用の広いスペースを形づくっています。周囲に高層建築がないせいでこの配置がユニークな味わい、広い空に吸い込まれる開放感を醸成しています。それを囲み民家と民家風の「半食堂」が並び目を引きます。ささやかな看板を出す半食堂もありますが民家との判別は困難。どうやら家の前に椅子だけあるのが民家で、一、二テーブル並ぶのが食堂のようです。

広場前のテーブルに着席しますが他店にはまだ客がいません。メキシコでは夜八時過ぎでもまだ晩飯前がふつうで、民家前では老人が彫刻のように眠り、婦人たちは数人で談笑中。こちらもこの共通空間を通し彼らの一員と化した気分です。タコス数枚の夜食を終える九時ごろ、家族連れの二、三グループが店へやってきました。まだ宵の口なのです。そのとき斜め向かいの屋外バスケット・コートから音楽が聞こえはじめ急ぎ目をやります。毎晩恒例なのか、若い男女一四、五人のダンス練習。リズミカルでタップ入り、見ていて飽きません。老人やら子どもがそれを取り巻き来たり去ったり、三、四〇人はいます。チチャロン（豚皮のから揚げ）売り老人も三輪自転車に駄菓子風の商品をくくり登場、ときどき客も来るのでホッとさせられます。

星空の下、コート上では二人ずつ三組、計六人がステップ。その頭上では照明に浮き出た大コウモリが三匹、旋回を繰り返しています。若者たちと調子を合わせているようで思わず苦笑。ライトの強すぎか街灯下の虫や蛾を捕らえきれず、果敢に動くわりに空腹のままのようでつい同情します。六人の舞踊よりは真剣味あふれる三匹の飛翔へつい目を奪われます。視線を再び若者へ。今度は山刀を両手に激しいダンスに一変しました。打ち合う金属音が周辺にこだまし目は釘付けです。危険を伴う踊りで差し違えもなく無事に終わるとホッ、また目先はコウモリへ。「アッ」もう三匹も虫も蛾も消えています。夕食を満喫？　それとも逃げられたのでしょうか？

この最中、数十メートル離れた公園内の円形コンクリートベンチを囲み二〇人ほどが硬い表情で話し合いをしていました。ただ声を荒げる人はいません。古代ギリシアの屋外円卓会議もかくばかりか、議論を終え散会しはじめます。ホテルへの帰路、路上夜間中学を思い出し迂回、こちらもすでに終わっていました。

こうしてハルコムルコの夜はゆっくりと更けていきます。広場周辺の営みはごく自然で日常的な安堵感を醸し、ひとつの継ぎ残されるべき文化に思えました。ふと途中バス車窓から見たテント小屋が夜景の中に浮上しました。この地がダム湖底に沈むなら、破壊されるのは豊かな自然環境だけではないと感じました。人々は異邦人に街を舞台として自らの文化を示してそれを物語ってくれたのです。

広場の教会前の建物には一〇メートルほどの長く幅広の横断幕が張られています。

『古美術品ともいえるこの流域にダムはいらない』

「ダム」が複数形、いくつものダム計画があることを示しています。自然を広大な芸術品ととらえ街の掲示板にも同じ訴えが。町挙げての反対運動とわかります。まだ続くダンスのステップ音を背にし宿へ戻りました。

ベッドに横になるとシャワーを浴びたのに足がちくちくします。よく見れば、陶製床の細長い溝の上を何百という小粒の蟻が行進中。数匹かが斥候隊よろしくベッド上にも進出。鉛筆先のように小さく茶色い蟻で、一気に吹き落とします。隊列の行進スピードはかなりのもので、目視限界サイズの生物でもDNAのもとに生きる命の不思議さ。様子をしばらく見ていると、落下した斥候隊員たちは応援要請してないようです。増派動員はないとひと安心し、昨夜と同様に屋根に上がりました。

仰ぐと全空が銀河、薄雲のかげりさえありません。スバルのようにときめく星がいくつも。こんな天の川は何年ぶりかな。一九九六年に越後湯沢町の地域おこしの人たちと、二〇〇〇年には山形県高畠町の有機農家の人たちと、などと心に残る天の川を思い出します。山際に薄雲が発生か、ぼやけた一塊が静かに夜空を流れていきます。まるで天空から迷い出た星雲が地上近くに下りきて目の前をいくようでした。

## 「旧世界」と「新世界」

翌朝、まず屋根に上ります。ブーゲンビリアが何本か中庭を飾り、レモンの木が屋根上にまで。周囲のテーブル状山々は異郷にいることを思い起こさせ、わずかな川面と奔流は何とも懐かしい感じをいだかせます。数メートル先の直立の椰子につがいの鳥が舞いおり、木にとまるや太い幹をつつき、木挽唄ならぬ木啄《きつつき》唄に耳を傾けます。部屋に戻ると蟻軍列がほぼ消え、どん尻の切れ切れ隊だけが行進中。さて朝食にと昨夜残した机上のチーズパンの紙袋を開けると、蟻よけに二重に覆ったのに数匹の駐留軍！　兵站部隊か。

当ホテルは古い家具類のリサイクル哲学を実践中らしく、部屋の書記机は古ミシン台の再利用です。それに気づいた瞬間、意識に出現したのは生前の母がミシンに向かう姿。十数年前の他界後はもちろんのこと高齢でミシンを離れてから久しく見ていない光景の出現。異郷での一品が太古の記憶を呼び起こす大脳の役どころに驚き、ただただ感じ入るのでした。それにしても手や腕から首周囲も鼻周辺もチクチク、ムズムズ。しんがり部隊の最後の大活躍のようです。今夜の増強大兵団での再侵入に備え、受付青年に蟻対策を尋ねます。受付前ソファでは彼の知人らしい四〇歳前後のエウエニアさんというご婦人がこちらの会話に関心なさそうにゆっくりと編み物中。

受付青年は、「蟻は季節の変わり目に出ます。無害ですし駆除の名案もないです」とあっさり。

「部屋や外壁で見たヤモリも、蟻が何百匹もいては食い切れないですね？」

「蟻を食べず蚊しか食べません」

ああそうか、どうりで昨夜も蚊に刺されず、大好きなヤモリに大いに感謝。蟻と蚊の陸空両軍の同時多発攻撃では痩身の疲労体にはきついところでした。

ホテルからすぐ近くには太いワイヤー張りで木製底板の古びた吊り橋。五〇メートルほどの川幅は高さ二十数メートルの崖下をえぐりますが、対岸は緩傾斜で川辺に降りられます。水量は豊富で流れも早くメキシコで初めて見るスケールの川。吊り橋のすぐ先にコンクリート橋が並行してありますが、地元民は不安定な橋をお気に入りのようで、老人やら子どもも揺られながらやってきます。底板に数センチずつ隙間があり川面の奔流が透け見え、小心者はやや気後れの体。

奥の近代橋に目をやるとロバに薪を積んだ老人がゆるゆると、一気にタイムスリップ。と、今度は対岸の平地に車が二台滑り込み。小型トラックの荷台の上にはラフティング用の頑丈なゴムボート。客が三、四人、ガイド二人がそれを降ろして説明。まもなく一行は下流へと出て行きました。入れ替わり突然上流から別のゴムボートが、たった今離れたあとに乗り付け、白人系の若い女性五人のスペイン語のはしゃぎ声。他のラテンアメリカ人かスペイン人かも。

橋の上は「旧世界」。老人、ロバ、切り出された木材と動物が共生する日常（ケ）の生活。橋の下は「新世界」。若者、合成強化ゴムボート、嬌声とレジャーの非日常（ハレ）の舞台。何とも見事な橋の上下の対比。また近くで飛び交う蝶は実に多種多様。サイズも大・中・小・ミニ、単色系と複合系、オレンジと白に黄、黄と黒縞、黒一色等々。サッとコガネムシも飛来、金緑の羽を光らせ震わせて、黄金とは無縁で緑世界にあこがれる人物の目前をちらりとさりげなく過ぎていくのです。

## ダム建設のいきさつ

川を離れ街中に戻ります。何軒かのエコツアー旅行店には客は不在。午後一時は小学生の下校時間、子どもたちがにぎやかに帰宅途上、大好きなその光景にしばし見とれます。よく洗濯された制服、緑ベースにうす青のストライプ、その半ズボンに親の子どもへの思いが凝縮。背負いや肩掛け型でなくツーリストのように引き車付きでピンクのバッグを転がしてとてもシャレています。ふくよかな同体型の母娘が並び歩いていく姿も実にほほえましいツーショットです。

ホテルに戻ると受付の青年はいなくて、編み物好きのエウエニアさんがソファのほつれを裁縫中。ダム建設計画を尋ねると、持論を主張する風でなく手を休めず淡々と答え、また私の話にもじっと耳も傾けてくれました。

「湖底に沈むのはこのハルコムルコだけではありません。すぐ近くの村もその先の村も沈んでしまいます」

彼女はダム反対運動の事務所の場所も教え、私はフクシマ原発事故や日本での節電の工夫話などで交流。

「日本では待機電力を減らすため不使用時のコンセント抜きを奨励。ただ電気を浪費する自動販売機が五〇〇万台ほどもありその消費電力は原発二個分といわれます。私は一九九七年から水筒を持参し飲用自販機をまったく使っていません」

夕方、再び街に出ました。今日も路上の夜間学校は和気あいあいで、端の中年女性に質問。

「どうしてそんなに勉強するのですか?」

「中学校の学齢時にチャンスがなかったのです。スペイン語も習っていますよ」

うれしそうで屈託がありません。クラスは夕方四時から五時半の部と夜六時半から七時半か八時までの二部制、先生は近所の三人で自信と落ち着きの指導。教職関係者のようでした。「日本にも同じように夜間中学がありますよ」と伝えましたが、特に感動の反応はなくて当然といった風。

エウエニアさんから聞いたダム反対運動の事務所は中心広場の真ん前にありました。町を挙げての反対運動なので中心地確保は当然でしょう。ただ、その内外に看板やポスターがなく机上に書類が積み上げられています。二、三〇代男性が三人、ひとりは路上の椅子で休息中。突然の異邦人の訪問に驚きも歓迎の表情もなく質問に事務的に答えます。

「地元への何の相談もないまま、建設案は三年ほど前に突然の公表でした」

「近隣でも計画が。ただコアテペックでの建設案は撤回のようです。反対運動のまとまりが強いからでしょう」

「反対運動を強く展開するために交代要員を決め、二四時間監視態勢で取り組んでいます」

ハラパ市に事務所はなく、また、運動のパンフレットは置いていません。雑談のあと、昨日の橋へ行くと台形の山頂上空の厚い雲の隙間に夕焼けのなごり。暗くなりかけた橋の中央ではうごめく大人が四、五人。近づくと天空高く凧あげをしています。一方、下では数人が闇に覆われはじめた川面でカヤック練習。仰いで凧、目を落としてカヤック、それをゆったり眺めつつミニ・ビンビール（九〇CC入り八ペソ）をちびちびと。闇の訪れもまた隠し味。

九時近く夕食を求め広場へ、当地のディナータイムの真只中。「半食堂」だけでなく広場では、個人宅の前でもテーブルにトルタやタコスを並べ、民家と食堂の区別がまた混乱してしまいます。ふと視線を感じると、やや離れた椅子の中年婦人数人がこちらの動静を観察中。近づくと「どこから？」と明るい表情。店主らしい夫人も加わり「寿司はこうつくるのよ」と、女性陣を前に寿司を巻くしぐさで一同爆笑。日本食品の広がりは予想を超え三五年前には想像し難い光景で、これはアニメのライバルです。

そこへ八、九歳の少年がやってきました。手に持つタマーレス（トウモロコシ粉を蒸して固めた主食のひとつ）を「どうぞ」とこちらへ。せっかくのお勧めなので手で割り半分いただき、お返しに子ども向け土産の五円硬貨を渡します。海外では穴あきコインはめずらしいからです。すると皆が興味津々で硬貨の取り合いに。といっても少年から奪うのでなく見るために。周囲が見終わり硬貨が戻った彼は意気揚々と家路についてゆきました。少年からの予期せぬ好意で、にわか托鉢僧の気分でした。

「半食堂」の鶏肉も野菜も美味。横の女性が席を立ち私に向かってひと言、「ここのチョコレート・

ココアもおいしいですよ。注文してみて」と。皆が家路についたあと、最後の客はコクのあるココアをすすりつつ、店をもり立てようという彼女らのささやかな連帯感もまた味わうのでした。店が閉まり今夜もダンス練習開始。ダムが湖底に沈めるのは自然、歴史、文化に限らず人々の日常も一緒に沈めてしまうと改めて気づかされたのでした。

ホテルの部屋では蟻軍が見事に完全撤収で、すばらしい組織力。ホテルによる薬駆除のせいなら痕跡が残ったでしょうから、「すぐいなくなりますよ」との受付青年の予言的中です。

パソコンにメールが着信。吉報がひとつ、ベラクルス大学《UV》でのフクシマトークを聴講した学生の感想メールです。丁寧なお礼が正確な日本語で述べられています。彼女の日本語レベルは高く、それにくらべ自らのスペイン語は？　と振り返りの材料にも。他方、ビクより凶報もひとつ。

「講演の様子が地元新聞社のＷＥＢ記事で『講師は水力発電を推奨していた』と掲載。私は聴講していてわかるが、そういう発言はなかったが記事ではそう」との連絡。ことは重大です。ダム反対運動の人たちに当方の真意を早く伝えねばなりません。「ダム推進論者」が反対運動を激励するのは奇妙で不誠実な構図となってしまいます。小型水力やパイプ式発電とダム式発電では自然や生態系へのダメージは雲泥の差。その説明も含めて人々の理解を得る必要があります。

その晩も屋根上へ。昨夜同様に天の川が全天展開。前夜、部分登場の星座はやはりカシオペアでした。残念ながら北斗七星は山並みにかかっているようです。

## 反対運動の現場へ

翌朝は前日以上にさわやかな空気が漂っていました。ホテル中庭のミニプール横のソファで資料読み中、例の小蟻が本に手帳に腕にも散歩で、植栽には緑色に黄金色をまぶしたハチドリが飛来。プール上には赤色や多彩なトンボ、黒地に黄縞の目を引く蝶も舞ってきます。清掃のセルヒオ青年と原発やベラクルス大学《UV》講座を語り、ダム反対運動のことを尋ねます。

「テント小屋では食事もできますよ。昨日はブラジルとコロンビアの支援メンバーも来ていました」カヌー好きには知られた土地だけに国際的な連帯運動も進んでいるようです。一日数便の機会を逃さじと早めに出ましたが、バスはほぼ定刻にやってきました。

運転手への「テントまでいくら?」に、彼は手サインで「いらないよ」。さすが「仲間」は無料という粋な計らいです。割引金額の多寡の問題ではなく「私も仲間だ」という無言のメッセージが限りなくうれしいです。三〇分もせずテントが見えバス停ではないですがもちろん停止。運動現場の最先端ゆえに多少の緊張感に押され、無理にリラックスしバスをふらりと降ります。道路の一方にテントが三幕、反対側に簡易小屋と倉庫風の木造建屋。この両側で人々は通行車両に対し運動の情報宣伝、電力公社《CFE》関係者が来ないかと検問のように見張っているわけです。

「ブエナス・タルデス（こんにちは）！」アポなしのぶっつけ。

テントを出て老若の男性数人が近づいてきます。手短に自己紹介、ベラクルス大学《UV》講座のこと、群馬県の八ッ場《やんば》ダム建設反対運動の支援メンバーと伝えます。* それまでも強圧感はなかったですが、紹介後は雰囲気が一気に和らぎテントへ招き入れられます。椅子が勧められ奥から現れた四〇歳前後で精悍なフェリペ氏を中心に四、五人が周囲に座ります。ほかのふたつのテントには七〇代くらいの老人数人がゆったりムード。後方の林を切り開き炊事用具が一式、中年女性数人で目下食事の準備中。ほかには二〇代から五〇代の男たちが十数人道路に対峙、なかなかの陣容です。

「今日、この時間に来てもらえてよかった。私は町の事務所やほかの仕事でここにいないことも多いので」とフェリペ氏が説明の口火をきります。詳細を聞く前に、私からハラパでの私の講座に関する新聞記事の補足をしなければなりません。

まず「原発は危険だから水力発電を進めよう」との発言はしていないこと。日本でもダム建設反対運動が各地にあり撤回に成功・失敗の両ケースがあること。ダムでなく小水力発電が今後の再生可能エネルギーとして望ましく、ダムは自然に損害を与えすぎることなどを伝えます。幸い彼らはまだ記事を読んでいませんでした。テントまで訪ねる人間が巨大ダム建設に賛成とはふつう考えないでしょう。また万が一、そう主張したとしても強力な運動には影響しないのは当然のことです。

「建設の噂は二〇一〇年ころから流れていました。電力公社《CFE》が突然、土地調査に来たのは二〇一三年でその間、地元に相談はまったくなしです。ダムができて湖底に沈む流域人口は一〇〇万人近く、一一自治体に影響が出ますが、ハルコムルコより大きい町も含まれます。ここにテントを建てたのは今年の一月です」

彼の話が一区切りつくと、すぐに初老の男性が言い添えます。

「私はずっと農業と漁業で暮らしてきました。ここ一帯は植物がとても豊かで多様なため川も豊富な栄養分を含んでいます。いろんな魚種のほか、川エビで五〇〇グラムの大物も獲れ、海エビと同様にランゴスタと呼ばれています」

フェリペ氏がまた話を続けます。

「私たちは孤立しているわけではありません。各地各国のカヌーイストだけでなく一般ツーリストの支援も得ています。この山河の産物を彼らに渡し、カンパをもらって活動資金としています」

ここが意外に微妙。「売って」となるとIVA（付加価値税。いわば消費税）が発生、日本の寺社が拝観料をお布施で回収しているのと似ています。

「国際機関やNGOとも協力しています。FoE（世界的な環境団体で日本にも支部）とは未コンタクトですが、グリーン・ピースはハラパ市まで来て打ち合わせました。ユネスコには調査と来訪の要請中で返事はまだです」「ハラパ市は水不足問題から発電以外に利水にダムを期待しています。今後の調整ですが建設の賛否で同市は微妙です」

別の中年の男性が穏やかに付け加えます。

「川は自然環境のシンボルで生活するうえでリーダー的存在です。川は多くをもたらします。食糧も仕事も」

毎土・日曜日にコアテペック、ハラパ、ベラクルスの街角で配布しているというパンフレットは増刷中でした。

硬い話が続く中、童顔で胸板が厚くてひょうきんな、三〇歳前後のヒルベルト青年がそれを和らげ

ダム建設反対運動の人たちと（ベラクルス州ハルコムルコ）

ます。

「私はラフティングの選手で二年ごとの世界大会にも参加します。アジアでは韓国と中国に行き日本人の仲間もいます」「川は単に上流から下流へと流れるのではなく、地球の自転や複雑な地形も関連し生物多様性とも関連しています。そうやって創造されたものをすべてダムは壊してしまうのです」

そのあと、私の質問を巡って少々議論になりました。ダム計画の総数と反対運動の全体像についてです。ベラクルス州内だけでも「どこそこの計画は撤回された。あそこは」と一〇七カ所から一一二カ所まで意見が分かれました。テントを張って近隣自治体とも連携しての反対運動は州内ではここだけとのこと。メキシコ全土では五五カ所でダム反対運動が展開中との情報もありました。

午後二時を回ってランチ時間が近いです。ひそかに期待はしていたのですが「一緒に」と皆が誘います。大きめの木皿に揚げた鶏肉、じゃがいもモレ、それに炒めご飯の盛り付け。簡素ですがとてもおいしい。そのとき突然テントの奥で「イタダキマス！」と紛れもない日本語が聞こえました。フォンソという青年で「日本アニメで何度も耳にし自然に覚えた」とのことで、アニメの影響力にまたまた唸ってしまいました。日本語教育というお硬い視点からではありません。「いただきます」慣習の日常化、これは文化の核心の伝播ともいえる現象です。発言主の彼は二五歳で二児の父親、都会からの移住者。カヌー好きの彼によれば以前は当地でカヌークラスも開催、テント支援来訪者にはそのなじみのアメリカ人やカナダ人も多いとのことでした。

やや気になったのは食事準備の中年女性二人が私たちのあとに食事をはじめたことです。というのも三五年前、各地で家庭に招かれ、メイドのいない家では台所で母親がひとりであとから食事するのを何度か目撃したからです。地方ではまだ、運動メンバーの間でさえマッチョ癖が残っている？　しかし、それは思い過ごしで若い女性たちは男性と食事、単にテーブルのスペース不足で食事時間を分けているようです。

食後、若い女性たちはそれぞれ自分の名前を紙に書いて私に示します。「日本語で書いてみて」と学習意欲充分。満腹後、中年女性たちに食事代を払おうとすると「レガロ（贈り物）」と愛想を崩します。好意を無にしてはと丁重に礼を言い、リーダーたちに「運動資金に」とカンパし、こちらは抵抗なく受け取ってもらえました。

その後、首都から移住の環境学者のベルデさんや地元中学教員のカルロス氏らとも話し、印象に残ったのはガルサ・モレノ氏です。優しそうな五〇歳前後の彼も本職は教員で、周囲は「ギタリスト！」「作曲家！」と歓声を送ります。「ゲストにぜひ一曲を！」という周囲のエールに応えおもむろにギターを取り出します。私のため数曲続けて演奏、どれもリズミカルで中にはしんみりするものも。『牛の標札』『命のための団結』などのタイトルで、ダム建設の理不尽さを歌い込みます。ただ多くは明るく彼らの心意気を反映しているようでした。照れながらも朗々と歌う姿を見て運動での音楽の大切さを再認識しました。日が陰り、町へ戻るメンバーの車に同乗、猛スピードで一気、一〇分で着いてしまいました。

翌日、ハラパ行のバスが道路傍のテント群を抜けるとき、知り合いたちに手を振ろうと窓から身を乗りだしました。だが高齢者や子どもの見知らぬメンバーばかり。前日アスリートやアーティストたちに会えたのは幸運でした。老人や子らの活躍ぶりは町を挙げての運動の象徴でしょう。数年後、数十年後、生き残った街での再会を念じつつ小さくなるテントを振り返りました。

＊一九九三年七月に北海道日高地方の二風谷《ニブダニ》で萱野茂さん（のちにアイヌ民族最初の国会議員。二〇〇六年五月に七九歳で他界）宅を訪問し、ご夫妻から土地とダム建設予定の話を聞きました。このダムはアイヌ民族先祖代々の信仰の地を湖底に沈めるため、全国の人々が反対運動を支援。しかし九七年一〇月に建設されてしまいました。また、〇八年一一月に群馬県の川湯温泉周辺の八ッ《やん》場《ば》ダム予定地を訪問。建設反対メンバーの案内では、「利用範囲が狭く人口減少時代に不要」と多くの人が考え、関東六県で反対運動が展開中とのこと。〇九年、政府はいったん計画を凍結、ただ建設業界などの利権がらみで解除され建設中です。

ダムは原子力発電所ほどの恐るべき加害性はありません。一方は一〇万年以上、子々孫々三〇〇〇世代以上も放射性廃棄物管理を続けねばなりません。事故発生は命にかかわる影響を何代にも残し悪魔的怪物技術です。他方、ダムも環境破壊による生物多様性を減少させます。それが巡って人心の荒廃にもつながります。ただ両方ともその脅威が人々の目に入りにくい点が共通。なおダム先進国であった米国などでは今やダム撤去運動も開始されています（映画『ダムネーション』などご参考）。ただメキシコの場合は日本と違い人口はまだ増加中です。また、消費物資の過剰生産・大量廃棄も日本ほどではありません。そのため発電を含め生活必需品・サービスの生産拡大は必要な側面もあります。日本でも目立つ貧困状況の変革も緊急課題。だからこそ原発やダムから卒業し、再生可能エネルギー社会の発展とエコ的な生活スタイルの普及で地域をおこし、貧困を減じることが大切なわけです。

## 三度目のハラパ市へ

### 日墨四〇〇周年祭ハイライト

再び戻ったハラパでは、ベラ《U》クルス大《V》学を中心会場に八月一八日から三〇日まで毎日一〇前後の催しが続行中。大学の施設以外の美術館などでも開催、準備はさぞ大変だったことでしょう。各種の日本語による発表会や講演会、日本映画の鑑賞会、書道・日本画からアニメ・漫画までの展示、生花や日本舞踊の紹介と練習、剣道などの伝統武術の演武、折り紙教室、研究発表会、日本食の試食と販売などと、さまざまな催しで盛りだくさん。

そのうち自分にとって大切な催しがふたつ残っていました。『アジア人移民史・調査研究報告』（副タイトルは「支倉使節団――仙台からベラクルスへ」）と『日本語弁論大会』です。ベラ《U》クルス大《V》学での『アジア人移民史』の発表はとても楽しみで、ハルコムルコ滞在を短縮して戻ったほどです。発表テーマは以下のとおりです。

①メキシコの日系人
②プエブラへの日系人移民
③オアハカの日本人墓地
④ミナティトランの日系人移民

タイトルからはアジア各国からの移民史を期待しましたが対象は「日系人」ばかり。やや肩すかしでしたが、もちろん日系人移民史にも関心が大いにあります。以下、発表順での要点紹介です。

① 日墨交流は仙台藩主の伊達政宗の命を受けた支倉常長の来訪が最初とされています。支倉ら一行はローマへの途上一六一三（慶長一八）年、太平洋岸のアカプルコに上陸。陸路を歩きベラクルス着後、スペインへと航海に出ます。ローマなどで数年滞在後の帰路一六二〇（元和六）年、同行者の一部はベラクルス、プエブラ、ハラパに残りそれがいわば移民の第一号。その意味で当地はまさに四〇〇年祭にふさわしい土地です。

それに対して近年別説が登場。当時のスペイン領フィリピンは一五八五年から日本と貿易を開始し、その機会に何人かの日本人が訪墨したようです（定住したかは不明）。少しあとの一六〇九（慶長一四）年には、メキシコ船が難破、千葉県御宿に漂流し漁民の懸命な救援で多くの船員が救われた史実は近年よく知られています。彼らは徳川家康にも拝謁し船を修理し帰国、六、七人の日本人が同行したといわれます。定住したかは文献には残っていません。

発表者はその後の移民史をたどったのち、最後に各界で活躍の日系人名が次々と登場。実業界、芸術家、学界、芸能界、スポーツ界、医者、建築家、音楽家等々よく知られた名前が続きます。その中には著名とは思っていなかった友人知人たちも。うち三人は配偶者がメキシコ人、異郷で長年努力した彼女らはもはや歴史の一部なのに気づかされたのでした。

② 発表はプエブラ自治大学《BUAP》のヤマモト教授と学生たちの調査による面談ビデオが中心で、来墨から今日までの家族史の紹介。移住当初は大都市プエブラでの日系人は三家族だけ。一九四五年には米国同様にメキシコでも日系人は敵国民扱いで収容所へ送りこまれました。現在も二五家族、約一〇〇人の居住にとどまります。

③と④ クロサキ氏と学生たちとの現地調査のまとめで、一九世紀末のチアパス州日本人移民の再移住先を探るのが課題です。

人々は一九〇六、七年ごろに鉄道建設、鉱山開発、サトウキビ・プランテーションなどの雇用の機会を求め、同州からベラクルス州に再移住。ただ黄熱病などで希望を打ち砕かれます。日本式の墓碑は今も草むす荒れ地にうち捨てられたまま。碑文の「一九一一年」の標記から移動後、日が浅いことがわかります。墓碑数が多くないのに「沖縄出」や「韓国学生」が高頻度で現れ、当時の日本の社会状況を物語る「無言の証言」です（渡航が李氏朝鮮時代なのに「韓国」とあるのは当時の国号の「大韓」からでしょうか）。生き残った一部は一九三七年ごろにミナティトランで日系人福祉団体“La Japonesa S.C.”を設立。この史実を同地出身のビクも知りませんでした。それにしても、彼はその三四年後に日本研修へ。そのまた四二年後の再会を契機に、故郷と日本が古い糸でつながった偶然に同氏も驚嘆していました。

こうした一〇〇年以上前の荒廃地での調査は困難をきわめます。クロサキ氏はもともと考古学の関心が高く、地味で根気のいる作業にも私的時間を使って取り組めるのでしょう。

翌日はベラクルス大学《UV》人文学部講堂で同州の第一二回日本語弁論大会が開催。中級の発表者は一五、六名で聴講者は約一〇〇名、味わい深いものでした。ある女子学生は、英語と仏語の三年間の学習体験から語ります。

「言語学習はほかの世界を知ること。最初、『世界』とは何かがわからず、やがて文化だと気づきました。言語を習う旅を続けていきます」と言語文化を考察。別の女子学生は栄養学専攻です。

「匂いと香り、食べ物づくりには栄養学以外に経済学、言語学を含め文化全体を学ぶことが必要。そしておいしいものは何よりも最後に笑顔をつくるのです」と述べ、「おいしさが人々を幸せにする」と単純ですが根源的なことを語学学習とからめながら紹介するのでした。

次に「四〇〇年記念祭」の最後を飾る催し会場へ。街中枢の人造湖に面した風光に優れた舞台で盆踊りも開催。その後、校舎中庭で実行委員四〇人ほどのこの二週間の交流祭を終えての打ち上げ。日本人から声がかからず帰ろうとしたら、六月のベラクルス大学《UV》国際連携室で会ったルシアさんから熱心なお誘い。和服姿がよく似合い、その姿に幻惑されたのか厚かましくも加わります。両国半々なごやかな雰囲気でしたが途中ハプニングが発生しました。

裏口から突然入ってきた若者が真剣な顔つきで何か訴えはじめます。早口で詳細は聞き取れませんが家族が急病で寄付要請のよう。服装はこざっぱり、表情からも芝居とは思えません。話し終えると会場を回りますが小銭を渡したのは数人でした。彼は丁重に礼を言いすぐに去り、会場に再びざわめきが戻ります。こちらの脳裏には彼の表情がこびりついたまま。こうしたことはときどきあるようですが、日本だったらどういう反応するでしょうか。やたら事情を尋ねる人、「市の相談所へ行ったら」と提案する人、逆に「部外者だろ困るよ！」という声が起こりそうです。とがめず、かといって詮索も深い関心も示さず、感じるところがある人は寄付、がこちらの流儀のようです。ひとつの文化と社会的状況を象徴的に示した出来事と思えました。

二週間の長丁場の交流祭、実行委員はかなりお疲れで打ち上げは一時間少々で幕。夜に強い人々とはいえイベント連続では無理もないことです。関係者をねぎらいイベントが印象深かった旨をお礼とともに伝えたのでした。

## ビクとニネベの奇遇

翌日の午前、前夜の打ち上げ会場近くのベラクルス大学《UV》の裏口を通ったとき、反対側からクロサキ氏が来るのとバッタリ。

「お疲れさまでしたね」と、この間の彼の多忙さには、この言葉しかありません。

「実はまだ仕事終わっていないのですよ」

「えっ、昨日で終了したのでは？」

「後片付けがまだあります」と彼は事務的にその裏門を開けますが、私はビクとの約束があり別れを告げます。歩を進めて、ハッと気がつきました。約束まで少々間があるので引き返し、裏門から入り込み彼を追います。この間、手伝えなかったお返しのチャンス。フクシマ講座の機会を得られなかったこだわりより、懸命な活動へエールの気持ちが勝ります。追いつき「手伝いますよ」と声かけ。彼は意外そうでもありません。すぐにビクに電話し約束の時間変更を依頼、すると即座に「私も手伝う」の返事。四〇年経てもよき友はよき友です。

クロサキ氏と会場の展示物を外すうち二人の女子学生が手伝いに来ます。同氏の教え子でメソポタミアを思わせるニネベさんとシェイクスピアが喜びそうなジュリエッタさん、ともに利発そうです。日本語学習歴が三、四年でほぼ完璧、まもなくビクも到着し作業がはかどります。展示物にはクロサキ氏が発表した日系人移民の写真も。古《いにしえ》のミナティトランのセピア写真もあって、ビクが亡き父親の思い出を懐かしそうに語り出します。すると、ニネベさんが「私もミナティトラン出身です！」と。そこで私も三五年前に同市の彼の実家を訪ね、父上から近隣を案内されたことを披露。当時、ビクは米国留学中で不在にもかかわらず家族揃っての歓迎でした。まるでこの町の魂が、故郷を思うビクと客死した日系人たち、そして学生たちの心を結びつけたかのようです。二時間前まで無縁の人々が急接近し再会と出会いの妙味。韓国人墓碑の写真も見やすいところに飾られ、アジア総体とメキシコの関係史も調べたいというクロサキ氏の視点がうかがえました。

詰め込んだ段ボールを全員でタクシーまで運び、三人をビクと見送り。日本への関心にあふれる女子学生たちは彼の日本体験を聞きたそうで心残りです。手伝ってくれたお礼にビクをかすみ食堂へ招き、食事中に彼のケータイにコールが。クロサキ氏からです。感謝のあとで「学生が話したがっている」と以心伝心の展開。さっそく明日二人とランチということになりました。その後、好展望のカフェで彼からソーラー発電事情を夜遅くまで聞いたのでした。

翌日、同食堂に定刻着。二人はすでに待っていて「時間に正確ですね」と言うと恥ずかしそうに微笑みます。ビクもすぐ合流、はるか昔日本で使用した教科書『日本語の基礎』を持参しています。これは元勤務先団体で出版したもので六月にベラクルス大学言語学部を訪問時、マリオ氏が懐かしそうに手にしていたものと同じです。もはや古書風の学習書は書き込みにあふれて勉強の苦労がにじみ出て二人は興味深そう。彼はほかに故郷での亡き父親を囲む家族の古写真、家族誕生会掲載の地方紙の切り抜きも示しての大サービス。それにしても若い二人の学習動機も子ども時代の日本アニメとは、アニメ・オンチとしては隔世の感です。またジュリエッタさんは「演歌も大好き」で、アニメと演歌の連続質問にやや閉口。この点でもついていけず、ビクが日本体験を次々と披露し彼女らの興味を引き留めます。三時からのクラスがはじまるので再会を約束して別れました。

## マクルテペックの丘

翌日、首都メキシコ市へ戻る予定でしたが、街をゆっくり見ておらず再び数日滞在を延ばすこととします。

新興の商店街を見てから図書館へ戻る途中、中央カテドラル前での集会に遭遇。「ＦＲＥＤＥＰ

O」（「人民防衛戦線」の略称）の長い横断幕に大統領と州知事宛てで「品位を持って生きるための権利を要求する」と大書されています。人々は広場敷地の二、三割を占め四、五〇〇人の参加。近くの中年男性によれば「政党ではないが近いグループで、政府からの貸与地の返還要求に対して継続使用を要求」とのこと。労働問題や土地問題の集会デモにはたびたび遭遇します。一九世紀の独立と二〇世紀の革命が掲げてきた理想の実現にメキシコ社会は未だ苦闘し続けていることを如実に示しています。

　めずらしく図書館の受付横に若い婦人警官が待機、身分証明書を要求されますが、パスポートのコピーを示すとOK。おそらく先の集会がらみと直感、いや、むしろ昨日、図書館の窓から見えベラクルス大学《UV》職員らも参加していた六、七〇〇人の教職員組合のデモ関連かもしれません。入館時に警官に警備強化理由を尋ねると、取材かと疑われ逆に詮索され時間を要すかもしれず退出時にすることにしました。だが、そのとき彼女はすでにいなくて人のよさそうな青年だけが受付で親しげに接します。

　彼は預かった荷物を返しながら「祖父は中国人です」とひと声。「私は中国人のいい友人がいますよ」と返すと「兄はガブリエル・メンと中国名を使っています」と明るい表情で。「メン」は「孟」かなと同姓の知人を思いつつ、「この字？」と書いて示します。あいにく漢字を知りません。こうしたやりとりもメキシコの魅力です。

　次の日は中心地から望める緑いっぱいの丘に登ってみます。中心のアゴラから坂を三〇分ほど上りマクルテペック丘下に到着。

門柱板には「この時期、枝落ち多く要注意。ここは残された大切な自然環境で私たちが守っています」との掲示。「私たち」が文中何度もリピートされ周辺市民の思いがにじみ出ています。中は木々が密集し影をつくって暑い日差しが嘘のよう。小鳥のささやきと木立の風音に耳をそばだてつつ板上の「頂上への近道」が指し示すややきつい木製の階段を上ります。上りきると斜面林を切り開いたところに古びた館が出現。

木間からのわずかな日差しに目も慣れ、前庭の草むらを見て仰天。鷲や鷹、トンビ、フクロウなどの猛禽類が来訪者を迎えるように周囲にたたずんでいるのです。なぜ逃げない、とよく見ると、足元の小さな鎖で切り株に縛られています。草むらで鎖が隠れてまるで放し飼いのようです。動物虐待？ ただ、狭い鳥籠ライフと外気の中の鎖生活、どちらが鳥類にとってよりひどい？ 鳥は飛ぶもの、飛べるスペースは最低限確保すべき？ 彼らはじっと耐え声もたてません。来訪者に無関心ですが純白のフクロウだけは私の動きを追い見つめてきます。フクロウ好きにとっては、いとおしく鎖を解いてやりたい気分。夜行性でよく見えないはずが微音を頼りに私の方向を凝視するのでしょう。ほかの鳥も一羽として頭を垂れてへたるものはなく毅然たるのには感動を覚えました。自分はそれなりの自由を手にしながら彼らほどにも毅然としているかと思い巡るのでした。

ここが目指していた博物館というわけでホステルから徒歩でほぼ二時間。平屋で小規模ですがコンクリートづくり。ただ案内リーフは「品切れ中」と愛想がありません。陳列棚の小さい文字の説明書きを虫眼鏡で読むしかありません。それによれば、この丘はなかなかの歴史を誇るようです。「一九四〇年に整備し七八年には環境重視の公営公園に。博物館はもと州政府の運営だったが九三年からは市民自身で自主管理」とあります。展示物は生きている蛇類が多く特にガラガラ蛇が多種多様。「餌用のネズミ一匹が三〇ペソ。どうぞご寄付を」との説明書に同情。入場料が一六ペソ、客も四、五人だけ、市民管理は大変なのでしょう。出迎えの猛禽類は大食漢揃いのようだし、ほかの亀やイグアナは細食なのでしょうか。ただ鳥獣、蝶類は剥製と標本のみで食費の心配から免れています。「蝶類は周辺で二二〇種以上」とか、どうりでハルコムルコで多彩な蝶の華やかな歓迎を受けたわけです。

　近くの展望台には、四方に無料の双眼鏡も設置され街を一望。四三〇〇メートルのコフレ山系も手に取るようですが、ガスで遠景の最高峰ピコは見えません。

　若いカップル二組に持参の地図でめぼしい所を尋ねますが、二、三カ所以外は同定できません。また、南方のベラクルス大学本部や湖、旧市街の中心部など、見どころが木々の繁茂の中で埋没。これは間伐の怠慢よりは政治的判断かもしれません。地図好きの方はご存知のとおり、各国の地図や日本の戦前版には空白地帯や偽装表示が多いのは常識。つまりは木々に隠れた範囲に州庁舎やカテドラルなど治安上、防衛上の重要拠点が存在、その判断からの「間伐放棄」は充分にありえます。それにしても樹木帯が名所やその背景のピコなども妨げるのは惜しい限りです。

　夜はレポート書きにいつものカフェへ。一〇歳ほどの男の子が小さな花束を売りにテーブルにやってきますが穏やかに断ります。しばらくしてまた別の子どもが。ちょっと要領の悪い子で花を見せようとして、破れた袖口の布端がテーブル上のマンサニージャ茶のカップに入ってしまいました。注意すると傷つけるかと思い、去ってから店員の青年に伝えます。彼は苦笑いして茶を改めて運んでくれました。ふと以前、日本の食堂でうどん中の蠅（富山市にて一九六〇年代）やカレーライス中のゴキブリ（京都市にて一九七〇年代）に口入れ寸前で気づいたのを思い出しました。不衛生のシンボル的な両昆虫のエキスを胃腸はたっぷり吸収したはずですが結局、身体の変調はなし。たかが布切れで大げさな自分が小さく見えました。直後、今度は中年男性がチョコレートを売りに。自分は芳香の茶を片手にペンを手にするだけ、何か心を冷たい風が抜けつつ夜は更けていきます。カフェの青年に茶代二杯分を払おうとすると一杯分しか受け取りません。偶然ですが彼はベラクルス大学《UV》での私のトークを聞いており、そのサービスのつもりならば予期せぬカンパなのでしょう。

## ビクの忠言

翌朝、ビクはホテルへ来て「野菜サラダたっぷりビュッフェの食堂で朝食を」との誘い。確かにこれまでのどの食堂よりも多種類の野菜や果物のオンパレード、この地の豊かさを知らされました。話題は南部国境のチアパス州や先住民族のこと。現在、国民の大多数はメスティーソ（先住民族系とヨーロッパ系との混血）、一〇％ほどの「白人系」も多くは何代もこの地生まれの子孫です。彼は父親がスペイン人で母親は「白人系」のメキシコ人のいわば一・五世、ほぼ国籍同様のスペイン永住権も持ち、それを踏まえて意見を聞きました。

「チアパス州の第二の都市サン・クリストバル・デ・ラス・カサス（以下、サンクリ）は大変有名な世界的な観光地で治安も問題ありません。ただ奥のサパティスタの土地は危険が伴うので行かない方が安全。現在も武器保有状態で国軍が展開する緊張地帯であることを忘れないでください。北部タラウマラ地域もマフィアで危険ですが戦争状態ではありません」

彼は事態を深刻にとらえますが、サパティスタは武闘から対話路線へ変更したはずです（後述、第四章）。

「基本方針は変えていません。彼らが武装蜂起し先住民族の諸権利要求した段階からしばらくは私も彼らに賛同していました。しかしいろいろ学び今は賛同していません。覆面姿に象徴されるように彼らは外部に活動内容を知らせたくないようです。自分流を非常に重視しています」

「国民のかなりの支持があったし今も国民の半分以上は支持しているようですが？」

「……」

「だいたい何パーセントくらいの支持が？」

「……」彼は言葉をつなぎます。

「要するに、インディヘナ（いわゆる先住民族）には、彼らにしかわからない世界があります。また、彼ら流のやり方があるということです」

ここで彼は少々周囲の目を気にして手元にあった紙片に走り書きをします。

『インディヘナに教育する権利があるか？』

「当然でしょう」と、私は口頭で答えます。するとまた続けて書きます。

『学校で学ぶことだけが教育か？』らしいのですが、字が乱れてよく判別できません。

それにしてもなぜこんなに神経質に「筆談」を？　おそらく私が不思議そうな表情をしたのでしょう。彼はアイヌ民族の例を出して「学校教育がすべてではない」と話しはじめます。四〇年も前の日本で一般教養的に学んだ日本文化や社会の核心を記憶にとどめているのはさすがです。確認のため「文字伝統がない文化では、文字が必須な学校にこだわらず教育を広げるべきということですか?」と聞くと、「そうです、そうです」とうなずきます。

それが学校教育中心の政府の方針と違うのを気にしているようです。メキシコでは二〇〇二年の憲法改正後、メスティーソ中心の統一国民国家から多民族国家視点の多文化教育や先住民族の言語教育の強化が進行中。ただ彼の主張では口承文学などはそのまま保護・維持されるべきで文字化やテープ、DVDでの保存までも邪道、という結論につながりかねません。一歩間違うと民族差別になりかねず、それで周囲の目を気にしているようです。

話は先住民族の社会の中での存在と地位へと移ります。

「インディヘナとは? 米国では今もインド人と混同する人さえ少なくありません」

この点は定義の問題も存在。日本のスペイン語辞書では『インディヘナ』に「先住民族」や「土着の人」、『インディオ』には「インド人」の意味も加わります。また辞書によっては「土人」という訳がまだ残っていることさえあります。彼は食堂の窓越しに道ゆく人に目を向け続けます。

「あの人はメスティーソの服装でしたが実はインディヘナかもしれません。国民の八五%がメスティーソですから歩行者のほとんどはそうでしょう。故郷では白人外貌の先住民族のツェルタル人(マヤ諸民族のひとつ)の友人がいます。彼は民族意識からか『白人』との誤解を避けるためか『ツェルタル人』を強調していました。あるとき彼に『何よりもメキシコ人でしょう、君も僕も。君は二重国籍ではないでしょう?』と念を押しました。それ以降、民族名を強調しなくなりました」(ツェルタル人

について は、第四章も参照)。

この指摘には違和感を持ちました。民族や国家への帰属は二重や三重のアイデンティティもありうるのが近年の考え方です。たとえば、イスラエル国在住のパレスティナ人の国籍はイスラエル、民族はパレスティナ人、またより広い帰属感として「アラブ人」意識も少なくありません。ただ日本では彼のような考え方が多く、それを含めてこちらの考えを率直に伝えました。

彼と先住民族のことを話し合ったのは初めてでした。彼の繊細さもあるとはいえ、ヨーロッパ系の中では先住民族への思いは考えていた以上に複雑なようです。彼は両国籍を持つのでなおさらでしょう。彼の帰属感のあいまいさが先住民族へのシンパシー不足、また国内での先住民族意識の広がりへの抵抗に反映しているように思われました。

話題は再びチアパスへ、彼はめずらしく命令調に断言。

「とにかく夜行バス旅行はしないで。よく強盗団が襲撃し、特にベラクルス州内からチアパス州への路線は本数も少なく危険です」と。

食後、ホステルに戻りロビーで彼企画のソーラー発電計画の話、専門用語と噴出する数字をフォローできず四苦八苦します。

「ミタニ夫妻のイチゴ工場でのソーラー化による使用電力代の節約割合は、現在交渉中の業者提示の一四%ではありません。諸費用込みで七%どまり」「業者は発注を受けたくて過大に見積り」が彼の結論。当方がつないだこの件の調整は両者に任せることとしました。彼の指摘する「米国ソーラー発電業者はメキシコの業者以上に当地の事情を熟知」には複雑な思いでした。

同市最後の朝も空には巻雲で日本の晩秋のようです。長期滞在の二段ベッド部屋（シーズン・オフでほぼひとりで利用）と別れの日が到来。他部屋の宿泊者たちも前日に旅立ち食堂にてひとり、セルフでパンとジュース・牛乳をいただきます。

パソコンを開くとビクからのメール。六月〜九月に近隣で発生した数件の重大犯罪記事が添付されています。「逃亡二人組、三人を襲う」「脅え暮らす人々。CM集団（カルテル・マフィアの略か）が突然村へ、三人を誘拐」「不穏分子によるか、若者二人が不明」等々、そして本文にはゴシック大文字で「夜行バスは使うな！」と、親身な忠告でありがたい限りです。長い嘆息ののち、資料・コピーを整理し受付の皆さんへの別れ。今や懐かしいバス・ターミナルへの尾根道で意外にも『知床旅情』が口元から流れ出てきます。旅の別れにふさわしいのか、ひとり歩きの所詮「気まぐれ（カラスさん）」が友だからでしょうか。

## 学生たちと原発を考える

メキシコで学生など若い人たちと原発について語るのは、今回の滞在での大きな願いでした。二〇一一年の東京電力福島第一原子力発電所事故のあと、市民運動などのメンバーによる脱原発関連運動の立ち上げに地元でひとつ、東京でふたつ参加しました。東京の会は三年間活動しその後、時間の都合で運営にかかわれず集会参加だけ。ただ専門家でなくとも、地元での実際の体験は責任を持って話せると考えました。また、三年後の状況、特に子どもの放射能被害、再稼働と原発輸出の策謀、それらに反対する動きも伝えたかったのです。最新状況までは無理でも原発問題はまったく解決していないことは知ってもらえたかと思います。まだまだ世界では社会活動参加者や大学生たちでもその甚大な被害と危険の実態に無理解なことが多いのです。

# 第四章 先住民族の地を訪ねて

——チワワ州クリール郊外

少年の一人に「家でタラウマラ語を使う？」と聞くと、はにかむばかりで返事はありません。言語事情を子どもなりに慮っているのでしょうか。

## INIからCDIへの変遷

メキシコには先住民族（第三章参照）が約六〇民族も居住しています。今回の目的地は米国と接するメキシコ最北のチワワ州とグアテマラ国境の最南の地チアパス州で、訪問者の比較的少ない地方です。現地にコネがないので三五年前と同じく、まずINI（国立先住民庁）を目指すことにしました。ところが研究機関リストから消え、後継機関がCDI（先住民族開発全国委員会）と判明。アポなしで訪れた中層ビルはすべてがCDI、一階ロビーの隅では少人数グループが緊張の顔つきで物々しい雰囲気です。説明案内板にはフロアごと「紛争処理」「人権擁護」などの表示、かつての学校か研究所の雰囲気とは違いまるで裁判所か警察。受付で来訪趣旨を説明すると半紙に「別館へ」と記したのち、その住所・電話番号を書いてくれます。見ればそこは図書資料館付きの研究部門。何となく住所に見覚えがあり、そこが以前のINIの場所と気がついたのです。

翌日、今度は担当部門に自己紹介と訪問目的を電話連絡。久しぶりの再訪でしたが本館同様に警備は厳しく、受付でパスポート一時保管を求められコピーを預けて無事通過。研究部門の責任者マルガリータ博士は五〇代半ば聡明そうな女性でインテリぶった感じはなく明るい人、瞬時に気に入ります。「三五年前によくここに通ったのですが、どうも当時の印象と違って」

「リフォームし内装をすべて変えましたから」

窓も広げ書棚類を移動したのか採光がよく光があふれています。彼女は、ＩＮＩからＣＤＩへの変遷過程や再訪予定のタラウマラ民族関係資料に詳しいアンヘル氏を紹介。氏は彼女と同年代でがっしりした体軀の褐色の肌にやや目つきの厳しい人です。学者や研究者、行政や司法関係者でもない私に最初は怪訝そうな雰囲気。ただ日本のこと特に原発事故を話すうち、「ヒロシマの本を読んだ」とか日本の地理や歴史への関心を示しつつ、文献を資料室から次々と探しだします。

組織の変遷についての詳細は省きます。要は国連の『先住民族の一〇年』計画が重要な流れをつくりました。また、この間の国際的な先住民族の人権への関心の高まりも背景に。それまでの『先住民族保護』政策とは「混血」化や「単一民族」化に向けた民族融合的な国民国家形成イメージでした。そうした政治的・文化的統合の強調が反省されたのです。それに基づく組織編成が前日訪問した本館での部局名に明瞭に反映されていました。

文献に関しては『タラウマラ民族におけるインディヘニスモ（先住民族主義）――チワワ州シエラ・マードレ山脈におけるアイデンティティ、コミュニティ、内的関係と発展』という集大成本が二〇〇二年に発刊。以前も同民族の文献はありましたが、主に習慣・宗教的儀式や強靱な長距離走能力の紹介などが中心でした。また人権の課題や政策への見解、論文などもありましたが、一般向けの総合的な紹介はお目にかかれませんでした。この本は写真やグラフ・図解もふんだんで読み応え充分。著者はサリエゴ教授でぜひとも諸課題について直接お会いしお聞きしたいと思いました。

「さてどうコンタクトしよう？　出版社に問い合わせか？」と同書の表紙裏の編集協力者一覧を見

ると「マルガリータ博士」の名もありました。たった今お会いした彼女です。さっそく部屋へ逆戻り。「チワワ市在住のはず。出版から一〇年以上もたっているし」と紹介にあまり乗り気ではなさそう。それでも二、三カ所電話し秘書に調べるよう指示。しばらく待つと秘書から電話番号のメモが渡されました。すでに定年退官され自宅の電話番号のようです。

## 北の国境――チワワ州タラウマラ民族の地へ

### 縁は異なもの

七月下旬、メキシコ第二の都市グアダラハラからバスで約一六時間後、視界に早朝のチワワ市の町並みが現れてきます。車窓眼前、町並みの後方には岩肌の小丘が続き乾燥世界がほうふつと展開。隣席だったサルバドール氏とはここでお別れです。三三歳、精悍で無口、とっつきが悪く夜明け後に少々話しました。彼はグアダラハラ市南方にある故郷のコリマ州から米国アリゾナ州のフェニックス市での建設工事に従事する途上。契約は六カ月で二回目の訪米。「一五歳から三歳まで男の子が三人」と、齢三〇半ばの彼が子どもらのため出稼ぎに行く姿に複雑な思いがよぎります。彼は眼光鋭いまま子どもたちへの思いを語りつつ、「山も海も近くこんなに住みよいところはない。機会あればぜひ立ち寄って」と住所をメモ帳に記してくれます。

バスターミナルで乗り換えたローカルバスを市中心で下車。以前に泊まった小ホテルを探しますが跡形もなし。州政府庁舎の周辺は雑然とした一帯でしたが今や大広場に変貌。ほかを探し、ほどなく見つけた古ホテルはバス・トイレ付きで一五〇ペソ（約一二〇〇円）。壁や床は一部割れ、シャワーカーテンの裾は傷のようなたばこの焼け跡だらけ、ただ清掃がまあまあでそこに決めました。

すぐ会いたい人は二人でパティ医師とサリエゴ元教授。ただ先住民族開発全国委員会《CDI》で聞いたサリエゴ元教授の電話番号はこの間まったく通じず、別の手を考えねばなりません。一方のパティ医師とは三五年前、チワワ州山中のクリール村で出会いました。当時は医学生、村唯一の病院で二年間の研修勤務中でした。その後、スペインへ留学し帰国後、父親の病院を引き継ぎ今は老人病専門医院を開業。前もって予定を連絡済みでしたので、到着後「出向くので都合のいい時間を」とまず電話。彼女は「こちらからすぐ行きますよ」と一五分ほどして中型四駆車で駆けつけます。高校生の姪を乗せ自宅に送る途上で、車中にて若き彼女に将来の希望職業を尋ねると「おばさんのような仕事につき社会に役立ちたい」と如才がありません。パティの名刺によれば高齢者医療や健康相談の国際的ネットワークの中心メンバーも兼務らしいです。なるほど堂々たる体軀に風格すら漂うわけです。ストレートな性格はそのままで、さっそく尋ねてきます。

「どんな料理を食べたい？　今はここでも日本食レストランがいろいろありますよ」

「やはりタコス。来墨後、毎日食べるけれど全然飽きがこない」と外交辞令でなく正直返答。

一〇分少々、郊外の高級レストランが並ぶ一角へ乗りつけました。自分のビールを先に注文したあとでこちらの希望メニューを尋ねるなど昔のまま。日本から土産の折り紙を広げその認知症予防効果をまず説明、互いの近況報告、タラウマラの里の訪問予定も伝えます。

「どうしてそんなにタラウマラ民族に関心があるの?」

「彼らの発想が古い日本やアジアの考え方と類似しています。精神的世界が非常に大切で、控えめであまり自己主張せず自然環境との一体化を尊重していて、そこにとても惹かれます。かつて留学時に村でパティらとクリスマスから新年を過ごしたのも懐かしく、村の変化も見たいです」

ややショックだったのはフクシマ事故談の冒頭に彼女がヒロシマと誤解したこと。すぐに間違いに気づきましたが知識人もややフクシマの認識不足かと。日本でも被災地以外の人は問題意識が不充分ですから、無理もないのでしょう。

食事後、医院に招かれ彼女の求めで右親指腱鞘炎と膝痛にツボをとり灸施術。漢方医学に関心が深くて質問攻め中に、休日というのに患者が来院します。高齢婦人が息子らしい五〇代の男性に手を引かれてしずしずと、パティはすぐスタッフとともに診察室に消えます。休診日といえども地元開業医、サービスは欠かせずスタッフも待機していたのです。それにしてもどのくらい時間をかけるのでしょう?

ほぼ三〇分後、二人は丁重に礼を言い帰って行きました。

「どういう病気?」

「高血圧と心臓病ね」

「休診日も大変ね」と、彼女は苦労を語らずスタッフを数人紹介してくれました。その後、私はこの間、連絡のとれないサリエゴ元教授のことにもふれました。

「彼の妻は私の友人よ！」

縁なのでしょうか。実勢人口一〇〇万人都市で専門違いの二人が糸でつながりました。先住民族開《C》発全《D》国委《I》員会で聞いた元教授の電話番号はパティのものと違っています。防犯上ダミー電話の用意かもしれません。

「私が彼女に電話します。ただ、彼は大病の快復中であまり人と会っていないはずよ」

「お会いできないのなら元教授と電話だけでも。それも無理なら手紙を渡すか『著書に大変感銘を受けた』と伝えるだけでも」

その場では電話は通じず、あとで再コンタクトとし、彼女は懐かしい周辺を案内しホテルまで送り届けてくれました。

## ようこそタラウマラ世界へ——予習の一

起床直後に電話が入り、元教授の夫人からで「正午から短時間なら夫は面会できます」との返答でした。夫人にはパティから詳細連絡済みで細かな説明は不要でした。面会場所は彼の元職場ＩＮＡＨ・ＥＡＨＮＭ（国立人類学歴史研究所・北メキシコ人類学歴史学校）。研究所は記念日休みで出勤者がなく、傾斜地を取り込んだ広い中庭に元教授がひとり木製ベンチでお待ちでした。七〇代半ば中肉中背、度の強い大きいめがねの温厚そうな方です。「迷ってしまい一〇分ほど遅れました」とまず詫びると「ここは日本ではないので」と優しき配慮。まず、彼の著書への感想を述べ、以前奥地まで歩いたこと、近年の変化、ツーリズムの影響などを知りたいと伝えます。彼は木製の机上にレポート用紙を広げ、図を描き実直なまなざしで約二時間、丁寧な説明でした。

ポイントは以下の四点です。

①コミュニティの近況

同民族は六万五〇〇〇平方キロ（北海道よりやや小さい）に大きく七グループの十数万人が居住。各地区のリーダーが州知事や行政責任者並みに強力です。行政や立法権以外に裁判権まで持ち、毎日曜日にもめごとの処理に当たります。南部のチアパス州では先住民族が自治権を求め立ち上がりましたが、ここではずっと自治を続けており、その必要性は少ないでしょう。今や同民族の大学生も多く都会に出て、男性はメスティーソ風の服装。ただ女性は今も原色で派手なデザインの長いスカートの民族衣装を身に着けます。

②世界観と習慣

一九〇〇年撮影の記録映像と現在の儀式や祭り、行事を見比べても同じ光景を見出せます。違いは撮影道具ぐらい。彼らの誇り高さはその世界観と深く関係しています。神と人の間に彼らの世界が存在し、自らは全人類のため天を支える存在と考え、これは子どもでも知っています。それを日常的に考え巡らし、とても哲学的に見えます。ただここ一〇年の深刻な問題は奥地に麻薬勢力が入って暴力が広がり都会に逃れる人が多いことです。

### ③ツーリズムの功罪

この点は、サン・イグナシオ・デ・アラレテ村を訪れるのがいいでしょう。クリール駅から近いし全住民がタラウマラ人。プライドを持って牧場やキャンプ地を自主運営し自治力も強いです。ただツーリズムには次のような問題点もあり基本的には反対です。

ツーリストとともにコーラのような化学物質入り飲食品が大量に持ち込まれ、高血圧患者を増やし大量のゴミを発生させています。山野を走る習慣を減少させ、「走る民族」が走らなくなっています。また、村の中心近くの子は金せびりが習慣化。観光と接点のない山奥ではこうしたことはしません。それに加えて親たちは民芸品販売で多少の収入を得るため、子を製作や販売に使い学校に行かせなくなります。そういう子には結婚も早く準備され一六歳で結婚する子もめずらしくありません。

名勝「銅の谷」の展望台ディビサデロ駅周辺でも状況は深刻化しています。観光用のゴンドラ設置で谷底へ投げ捨てるゴミが問題化。海外からのツーリスト呼び込みのため飛行場やゴルフ場を居住地のそばに建設しました。このような施設のため集落間の道が四キロも迂回されられるのです。計画は彼らへの相談もなく実施され、女性たち中心の空港開港反対運動が展開され推進側の暴力や嫌がらせも発生。ＩＬＯ（国際労働機関）は地域開発には先住民族の承認が必要なことを強調、アメリカやドイツのＮＧＯも弁護士ら専門家も含め支援に入っています。

### ④支援団体や研究者

Sierra Madre Alliance, CDI-Chihuahua, Alianza Sierra Madre（前記とは別の地元団体）など。

詳細な説明のあと、病み上がりの元教授から最後に忠告を受けました。

「あなたが三五年前にふつうに歩いた村々では現在、暴力やクスリがはびこっています。私たち学者も近年は行かないが、入りたいならツーリストになりきり質問や調査をしないことです。また、以前のあなたの滞在先、谷底のバトピラス村は危険だから避けた方がいいでしょう」

別れ際、土産のドロレス店製のイチゴチョコへ何度もお礼を言われ、その丁重さに恐縮するのでした。

## 支援する人々——予習の二

翌日、元教授から紹介されたシエラ・マードレ同盟（ＡＳＭ）を訪問。現在、同団体は州南部中心に三団体と協力して活動中です。タラウマラ民族は広く散住、また、公共交通も乏しく集団間の慣習の違いなどで相互コミュニケーションは難しい状況です。布教ミッションとの関係も集団によって差が大きく、まったく受け入れていない集落も数％存在しています。チワワ市内には移住者コミュニティがこの三〇年間、増加中ですが他都市や州東部の農業地帯への国内移住が多く国外移住はほとんどなし。移住後二代目までは民族語を話せますが三代目は学ぼうとしません。というのも使うと差別する一般人もいるからです。ただ、民族学校はいくつかあります。

街で見た光景への疑問も尋ねます。

「夕方、民族衣裳の中学生ほどの女子二人が坂下から坂上のバス停までゆっくりと歩き話し込んだあと、また下っていきました。民芸品売りでもなく何が目的の行き来でしょうか？」

「その年齢の子どもでも家政婦かもしれません。仕事の合間の休憩で友と街歩きして過ごすのでしょう」

係の若い女性は親切にも出版物・資料のほか、語学テープや会議記録までも用意し、北メキシコ人類学歴史学校《EAHNM》図書室の専門家も紹介してくれました。

午後すぐにそこを訪問、ルペ教師は明るくさわやかな表情の四〇歳前後の女性、ただ話の内容は深刻でした。

「暴力と犯罪頻発の山間部は集落内より途上が危険で研究者の夫も私も入れません。民族言語は集落居住者でも子に教えぬ親が増えています。移住者のコミュニティは州内五カ所が公的に確認済み、実際には市周縁部に二〇カ所以上存在しています。ただ移動変化が激しく実態がつかめません。市街地では民族言語は必要なく語学校はありません。そのため幼稚園年代までは話せた子が小学校入学後、数年で話さなくなることも多いのです」

「ツーリストが集落を訪ね、組織暴力・犯罪の防波堤になるような側面は？」

「多ければその効果が多少生じます。ただ、南米コロンビアでの取り締まり強化で麻薬組織がこちらへ移る構造が深刻になっています。警察の一部も連中とつながり軍隊が出動しようやく状況は改善しました。ただ米国への密輸ルートも依然残り、村人にも麻薬漬けが進行し多少のツーリスト増加では効果があまり望めません」

乏しい知見ですが日本のことも紹介してみます。

タラウマラ民族研究のルペ教師と（チワワ州北メキシコ人類学歴史学校）

「先住民族が言語を守り文化に誇りを持つためには、ツーリストが彼らの言葉を学ぶことも大切でしょう。日本ではまだごく一部ですがアイヌ語を学ぶ人もいます。まだツーリストが学びつつ旅する状態ではありませんが、アイヌ民族の博物館等では言語紹介にも力を入れています」

一瞬彼女の表情が変わりましたが特にコメントはありません。この間の質疑応答の中での彼女の姿勢と知見から「ぜひ出版を！」と勧めます。すると「実は近く出版予定」と、その表題を私のメモ帳にうれしそうに記述。彼女からはクリール在住のアベル博士を紹介されます。人から人の絶妙な連鎖で支援者・研究者二名と現地で会えることになりました。

ホテルへ戻る途中、メキシコ市のホズミさんからの電話。八月六日の広島原爆投下日に予定の講座の調整です（第二章に既述）。彼女は近々に予定されている日本の首相の公式訪問時に同行、夫人との会食にご招待とか。「夫人がフクシマの原発問題の深刻さをどのくらい理解しているかを聞いてください」と伝えました。

夜一〇時を過ぎ、人の絶えた街角からコンビニに入ろうとすると店員が見えるのにドアが開閉不能。透明ドアに付いた顔サイズの小窓から注文し、店員が品物をそこから提供してくれます。若い女性店員は「夜一〇時から閉店の二時まで警察の指導で一〇年以上前からこうです」と解説。政府とマフィアの戦いの激烈化前後からか。私は購入した食品を拘置所の捕らわれ人のようにその小窓からしずしずと受け取るのでした。

## 懐かしき里へ

翌日、山並みを抜けてバスはクリール駅前に到着、ゆっくりと周囲を見渡します。駅前の小広場、かわいい木造教会、教会運営の民族工芸品店は以前と同様です。幸い広場前の木造ホテルに空室が一部屋。二階の小窓越しから数組のタラウマラ母子が広場の一角に座り込んで編み物をしながら民芸品を売っている姿をしばし見つめます。

さっそく外へ、中心路を西へ向かうと街はかなりの変貌を呈しています。「村が町に変わった」ほどですが一方北東は変化が少ないようです。以前、クリール周辺は民家が三々五々散居状態でしたが、今やレストランに商店、ミニスーパー等が勢揃い。かつては土の道を馬やロバが悠々と歩き、白昼にやや遠慮気味とはいえ犬の交尾までも目撃しました。ところが今は目の前はコンクリート路で車が行き交います。ただ交通頻度が低くまた周辺に三階以上の建築物がありません。空が広いのは救いです。

元教授の忠告によれば、今や禁断の地となった谷底のバトピラス村へは毎日一便のマイクロバスだけ。ただ三五年前は週に一、二回の不定期の小型トラック利用でした。当時、荷台には建設用のダイナマイトなども積載、その上で一二時間も凸凹道を二〇〇〇メートル下ったのは、若いときでも身も心も疲労困憊しました。この危険物は振動刺激では爆発しないとはいえ、背中を擦りつけられるのは気持ちのいいものではありませんでした。今回、地元民に聞くと「行かない方が」の声は聞かれずじまい。ここは観光が収入源の土地、学者の「調査」（それが、ときには当局の内偵であることはいずこも共通）と外国人の物見遊山ではマフィアの「歓迎」度合も微妙に違うということかもしれません。

食堂で簡単な夕食中、五、六歳の子どもが次々と「腹ぺこ」と手を出して周回。恨めしそうな目はつらいのでつい「パンでも」と思いますが、友人らの忠告や周辺の客に倣い非情に徹するのでした。

その夜、チワワ市のシエラ・マードレ同盟《ASM》で紹介されたパウロ氏とようやく連絡が取れ明日会うことになりました。

## 貧しさと強靭さ

翌朝、山あいのさわやかな日差しとそよ風を浴びて駅向かいの懐かしいコチホテルへ移動。オーナーのエド氏の面影は記憶の端にかろうじて残っています。ただ、彼に「私はリピーターです」と言っても半信半疑の体。ふと当時、長期滞在中だったチアパス州からの青年を思い出し話題にしてみます。彼はようやくホテル代値引きねらいの出まかせ発言でないことを理解し、表情が明るくなりました。ホテルは四〇年前からの営業、内装の木皮付きの柱や森の写真などはまだ健在です。当時は真冬で非常に寒く、薪ストーブでは湯が沸きにくく閉口しましたが、今やガス給湯でシャワー付き。そのチアパス青年とはよく挨拶しましたが、地味でおとなしく自分のことを語らず、滞在目的も生計の背景もわかりませんでした。その後の先住民族運動の活発化を思うと、彼は最南州からネットワークづくりのための滞在だったのでは、と今ごろになって思うのでした。

正午に約束どおり中央広場でパウロ氏と落ち合います。丸刈りでスポーティ、アジア人的風貌と優しさを漂わせた三〇代半ばの初々しさ、直感では気が合いそう。彼が初会合場所に戸外を提案したことが発想の共通性を感じさせ、そのままそこのベンチで話し続けます。案の定、私同様に彼もテレビなし生活で、違いは彼が妻子とともにエコ実践という点です。太平洋岸のマサトラン出身で当地滞在はまだ一年、先住民族支援メンバーとして地域循環型エコシステムづくりや羊など家畜の糞利用計画も進めています。

彼はショッキングな話から切り出しました。

「二〇〇八年は天候不順でひどい不作でした。あまり知られていませんが飢餓で村人が死亡、自殺も続きました。今も生活が不安定で彼らの泥酔もつらさから逃れるためです」

と、そのとき広場先の建物間の袋小路で私服警官らしい二、三人が、酔いつぶれた人を車に運び込んでいます。彼はそれを横目で追いながら話を続けます。

「ただ、彼らは侵略者や移住者に追われ続け五〇〇年間生き延びた強靱さも持ち、また『貧しさ』感も一般とは違います。モノを所有しないから貧しいとは考えません。子どもらが街角で金やモノを

先住民族の権利と連帯を語る支援者〈チワワ州クリール〉

ねだるのも単なる物乞いではなく独自の感覚に基づきます。金やモノの所持者が偉いのではなく、持つ人が持たない人に渡すのは当然と見なすわけです。モノがないことは貧しいことでも、もちろん恥ずかしいことでもないのですから」

　イスラーム教徒のザカート（喜捨）やヒンズー教徒のバクシーシ、仏僧の托鉢にも通じます。モノを「与える」ことで「持てる」人は逆により大切な「徳」を受け取れますから、「もらっていただいて感謝」と返礼されてもいいわけです。

「彼らの間ではコミュニケーションが少ないです。集落間が歩いて七、八時間も要し、連帯の思いがあっても日常連絡が難しい。商店やホテルなどがツーリズムで稼いでも地域に還元されず貧富格差が広がるばかりです。また鉱山乱開発や木材乱伐も続いています。スポーツ品メーカーのN社は俊足で知られた彼らを宣伝に使おうとアプローチ。彼らが抱える問題を無視し利用するだけでは不正義と言えます。空港は完成してしまいました。現時点では住民の要求でまだ利用中止ですがこれも問題山積み。生命維持に直結する井戸も建設で破壊され使えなくなっています」

パウロ氏より「共同体管理のアラレコ湖を訪問しますか？」との提案。地図では遠そうでしたが車では二〇分ほど。周辺には岩場に織布を敷いただけの売店が五、六、女性たちがアクセサリー類の民芸品を広げています。湖は福島県磐梯の五色沼のようです。木々や山丘は低くて湖岸が広く、それを表面が輝く岩場が囲み、やけに静かで異界的です。湖畔には観光客が十数人散策中。

しばらくすると緩い傾斜の岩山から一〇歳前後の子どもたちが湧き出るように出現して三々五々やってきます。皆、パウロ氏の知り合いで話すうちに彼は自ら着用のTシャツを指差して教師の表情で語りかけます。

「先住民族は皆、兄弟だ。皆仲よく団結しなければならない」

Tシャツを改めて見ると「EZLN」の文字が読み取れます。前述の一九九四年チアパス州で蜂起した「サパティスタ民族解放軍」の略称です（本章の後半も参照）。彼の懸命な説明は説教がましくなく、自ら確認する風で好感が持てました。

「湖の水質はどうですか？」

「現在、詳細調査中です。ただ一部ゴミなどの生活排水が入っています」

「人々の病気は？」

「栄養不良からの結核は以前から多く、最近は胃腸病も増加しています。水汚染が関係しているでしょう」

ふと、以前パティが研修医のとき、肺が広範囲に白化したX線写真を病院で見せてくれたことを思い出しました。

「痩せ地に強いオリーブや日本の蕎麦のような作物の試行はどうですか？」

「試みていますが彼らはトウモロコシにこだわり外来作物を受けつけないのです」

彼はホテルまで車で送ってくれ近日中の再会を約束して別れました。

夕方からの北方歩きではかつて見慣れた家々が登場。丸太小屋や角材柱に木皮貼りの家、アドベ（日干しレンガ）づくりで前庭は未整地の凸凹、木皮を敷いた棚が見えています。夕焼けの野原では十数人の子どもたちがボール蹴り。その先を、裸馬数頭を急き立てて村人たちが小屋へと帰ってゆきます。眼前の一幅の絵に見とれます。近づく闇を背にホテルへ戻り、地元松戸に送る月刊ミニコミ誌用の原稿書き。気づけば一〇時近くで、受付のエド氏は「駅前の食堂だけはまだ営業」と教えてくれました。そこはキオスク風で同世代のマリア・エレナさんの一人職場。やや張り詰めた表情でてきぱきと調理します。そのタコスをほおばりつつ労働基準監督署的な無粋な質問。

回答は「働くのは午後一時から一〇時まで、土、日も休みなしです」。

「ご健康そうですね。だからそんなに働けるのですね」

「そうですね、健康だから」。彼女は繰り返します。開店し三六年目、偶然にも当方の最初の当地来訪時が営業の開始年。その後、私が惑い過ごした年月を彼女は毎日ここでキビキビと動き続けたのでしょう。油気が少々強いですがおいしいタコス。その夜の最後の客のようでした。

## ヤヤ食堂

観光地ではない地域を訪問したくて翌日はクリール西方一時間半のサン・ラファエル町へ。バスは線路を何度も横断、松の疎林に樫も見えかくれ、白濁した細流が林間下方から覗きます。ときに馬牧場、顔状岩に柱状岩、奇岩も目立ってきます。駅前近くで下車、近くの緩い坂を上るとすぐに山が迫り町並み一望の地はなさそう。

やや疲れてドア開放の小屋風ミニ食堂へ。カウンターには四〇歳前後の女性、一〇代半ばの少女と少年、幼子を抱えた母親が親しげな雰囲気で座っていました。地元民ののどかなランチに予期せぬ異邦人が闖入し、軽い緊張感の漂いが。

「店の名前の"Lonchería Yaya"（ヤヤ食堂）はめずらしいですね」。聞きなれた言語が飛び出したせいか、質問が人々の気を引いたのか、場が一気に緩みます。客の一人が「近所の子どもの名前から取ったのです」と。

「偶然ですね。『ヤヤ』って日本語で『赤ちゃん』って意味ですよ」

すると、予想外に一斉に笑い声。うけねらいではなかったのですが、何か楽しい連想がヒットしたのでしょう。「逆でなくてよかった」と、ついこういう場でそう思うのはペシミストなのでしょうか。場がますます和み、トルタを食べながら尋ねます。

「この二〇年間で町は変わりました?」

「ずっと過ごしやすくなったわ」と、まだ三〇代半ばの女シェフは気さくです。

「どんな風に?」

「人口が一〇〇〇人から四〇〇〇人ほどに。道路は舗装されバスも来るし、今は高校ができて町が

「銅の谷」（チワワ州ディビサデロ）

整備されました」

「人口増は移住によるのですか？」

「ナヤリット州、ソノーラ州、シナロア州などからやってきます」と少年が先走ります。彼は物知りで日本の位置もほぼ正確な答え、地理や社会が得意なのでしょう。

「ここにも観光客は来ますか？」

「ええ」

「ツーリストがバスやゴンドラリフトなどからゴミをまき散らす問題があるとほかで聞きましたけれど？」

「ここではその問題は起こっていません」

観光地でない町を選んだつもりが、ガイド本に紹介のない地にも、そろりと観光波は押し寄せているようです。

帰路、地元民が建設反対していた峡谷見物のゴンドラに乗る気にはなれず、ディビサデロ（展望台）駅前バス停まで行きます。ここは、グランドキャニオン以上といわれる名勝「銅の谷」の眺望で著名な場所。

駅前のトタン屋根が並ぶ民芸品売り場やミニ食堂を徘徊しますが、列車出発直後なのに客でにぎわい、やはり最近は車で来る人も多いようです。以前は、売店はなくてタラウマラ人が三々五々に民芸品を駅前で並べているだけでしたが今は簡易食堂も大繁盛。近くの小丘に登ると、はるか遠方の岩山の一角に小さく黒い洞窟とその端の丸太小屋と洗濯物が目に入ります。そこだけは三五年前の光景そのままで駅周辺の大変化に比べ彼らの一部はまだ洞窟生活を続けているようです。

駅前の店と穴居の丘陵（チワワ州ディビサデロ）

この辺一帯の奇岩群の造形美と多様さの感動は一九七九年の最初の遭遇時と変わりません。また、かの民族は植民者や移住者の波に押しやられ山地に逃れたのですが、その孤高さと沈思黙考する姿が奇岩群と妙に共鳴するのです。

ホテルに戻りロビーでオーナーのエド氏と話します。

「ツーリストも増えてホテル業は順調そうですね」

「いやいや七月末には学校も始業し、ツーリストも減るしガソリン代が一リットル五〇から六〇ペソで生活は厳しいです。毎月の値上げ、毎年ではありませんよ。ただタラウマラの生活はもっと厳しいですね」

彼はロビーの宿泊客数人に照れくさそうに「この人三五年前にも泊まってくれたのですよ」と私を紹介します。七月なのに夜は肌寒く、持参の簡易温度計で約二二度。ふと昔日の当地の年末年始の寒気を思い起こすのでした。

## 見方を変えてつながる

翌朝、約束の食堂に着くと北メキシコ人類学歴史学校《EAHNM》で紹介されたアベル博士がすでに席に。彼はこの地で一三年間も家族と滞在、タラウマラ人の研究もすでに四年間続けてきました。やや神経質そうで、最初は「元教授から頼まれたから」という雰囲気の義務的語り口でした。ただ徐々に雄弁に、やがて州の政策や周囲の人々の西欧かぶれを厳しく批判しました。

「この間の変化は否定面が大きく肯定面はとても少ないです。確かに電力供給、病院新設、また不充分ですが農業生産での機械の導入も進み交通アクセスも便利になりました。この一帯はタラウマラ人が約九万人、メスティーソが約二〇万人居住。メスティーソ人口の増加が高く、政府はタラウマラ支援に協力的でなく人口の差が拡大し民族の生活にとってはよくありません。麻薬マフィアの暗躍も大問題です。学校教育でも民族語クラスがほとんどありません。またミッション（キリスト教の普及団体）も商品を人々に渡すだけ。まだ国家的な同化政策に力点があり民族本来の伝統や行事を瓦解させています。若者も固有語を話さず子どもはメスティーソ文化を真似ます。今や彼等の九〇％はスペイン語が第一言語、今後五〇年ほどで固有語が消えるのではと危惧しています。民族言語の消滅は衣食住スタイルを含め文化の消滅につながります。ただ唯一の希望は彼ら自身が書きはじめたことで、体系化され引き継げば文化保護できる可能性も出てきます。西欧的発想で必須とされる薬品や種苗改良、車や電気・機械製品も彼らの価値観では高い価値を見出す対象ではありません。大量消費財への関心を高めかねない教会やミッションのやり方も問題があります」

このときちょっとしたハプニングが起こりました。近席の朝食を終えた老カップルが席を立った直後です。男性がやや強い調子で博士に言葉を発します。聞きとろうとしますがついていけません。どうも博士の「ミッション批判」への異論のよう。同氏は言葉を荒立てず冷静対応で言い合いにはならず、二人は静かに出ていきました。

わずかに聞き取れた単語と彼のコメントによれば、「あなたの言い分は興味深いが、私たちなりに懸命に活動をやっている」とのこと。ミッションの直接関係者かふつうの村民なのかは確認できませんでした。

「彼らの移住先の状況はどうですか？」と質問の方向を変えてみました。

「大都会チワワ市やファレス市以外にやや南方のコアウイラ州のトレオン市などへも移住していきます。生まれた子どもは当然こちらの生活を知らず、民族語文法の変異すら観察されています。ただ、こちらの集落人口が減少とは断定できません。都市へ出てすぐに帰ったり、ある期間後に結局戻る人も多く、実態も統計も取りにくいのです」

「Ejido《エヒド》（地域共同体）経営の店舗や観光施設で彼ら自身が運営するものは？」

「山林のツーリスト用の宿泊所などあるにはありますがとても少ないです」

彼ら直営のレンタサイクル店とメスティーソ経営店の両方を思い出しました。それぞれ同規模の小事務所、料金もほぼ同じで、ただメスティーソ店の方は料金システムを細かく設定し短時間利用者にも便利になっています。タラウマラ人の金銭的執着心の低さが逆にサービス精神への関心の低さにも反映しているようです。

続けて街風景についての疑問。

「街のツーリスト向けの表示板に民族語の基本会話とスペイン語が併記されています。ところがそれは『地区長はいません』『地区事務所はどこ?』『この下が小川』などと彼らの日常表現ばかり。ツーリスト用には、『食堂はどこ?』とか、『タラウマラ語で何と言いますか?』などの方が頻度も高いでしょう。自らの言語を外国人が敬意を込めて使うのを目撃すれば、若者らの自信と誇りにつながると思いますが?」

「あの看板は単に州政府の宣伝です。先住民族のことで努力している、と示すために」

「現状で一番大切なことは何でしょう?」

「人間の生き方を考える上でメキシコ側が見方を変えるべきです。欧州的視点・制度に基づく政策では不充分。具体的には科学万能的考え方、キリスト教のみが精神世界で正しいとすること、そしてそれから派生する経済優先や形だけの『民主的』制度も問題です。それらは偽りであってアテにならないもの。現地に即した別のスタイルがあるはずです。自分たちのやり方を押しつけるべきではありません」

欧州人的風貌の彼の意見は予想より明快で彼らの立場に立つものでした。また彼は、単なる数合わせで熟慮がなく少数者の意見を取り入れない形式「民主主義」にも疑問を呈しています。反対するひとりの意見も尊重し、経験や知恵を充分活かす長老会議的制度の持つ重要性を再評価すべきとしているわけです。

「若者のメスティーソ文化への関心は、彼らを両文化間で分裂症状態に置かせているほどです」

「国際機関や国内外のＮＧＯ・ＮＰＯなどの協力や支援はどうでしょうか？」

「ＷＨＯはここに事務所を置いています。ただ、世界銀行やＩＭＦは主に森林資源利用に関心を示しています。私的な協力団体も多いのですが、集落でも山林地区の住民にも民族語を使わずスペイン語で接しています」

「北米自由貿易協定《ＮＡＦＴＡ》以降の二〇年間、生活面での一番の変化は何でしょう？」

「病人の増加です。糖尿病や極端なブクブク肥満に伴う新疾患も、コーラや菓子類の過飲食から発生しました。また、飲料水を米国の乾燥地テキサスへ送ることで環境に深刻な損害を与えている問題もあります。水資源確保用の道路づくりのため幼木も伐採しトラックで運び出されるのです。これにもＩＭＦが絡んでいます」

　これを聞いて思い出したのが、チワワ市のパティ医師がこの地で研修していたキリスト系病院で、かつて彼女の先輩医師から言われたことです。

「米国の大企業はまず栄養の悪いコーラ類を売って儲ける。それで病人をつくり、次に医薬品を売り込みまた儲ける。せっかくの国内外からの貴重な援助・支援もこうした医療費に回されてしまうのです」

　まったくこの医者の言うとおりで、この三五年間そしておそらくＮＡＦＴＡ後の二〇年間はもっと激しく、彼の予測した事態は加速されているのでしょう。

## 岩さえ進化

その日の午後、先にパウロ氏が勧めた民族と文化紹介の小博物館を訪問。最初の布教者、キリスト教ジェスイット派（イエズス会）のミッションとの接触から、この土地の歴史が英文の説明付きで書き起こされています。

一六〇七年、初めて欧州人と接したタラウマラ人は、メキシコの他地域と比べてキリスト教徒との歴史は浅いのです。そして、ここにもアメリカ先住民族の歴史との類似、いや世界各地での先住民族に対する侵略者や移住者、いわば「後住民」との熾烈な闘争の歴史がありました。日本列島でいえばアイヌ民族や琉球の人々の歴史とよく重なり、「従順」であった人々が迫害に耐えきれず立ち上がる苦悩と悲惨さも共通しています。

館内を先に進むと、この地の自然や文化の説明があります。

「ここの自然は人が進化したように進化し、また人のように考えます。岩でさえも同じように進化するのです」という詩的な一文。確かに奇岩群を巡ると、その活き活きとした造形が妙に有機的で生き物っぽく立ち現れ、ときに人の気配すら感じさせます。また「当地での十字架はキリスト教起源ではなく宇宙の四方向を指し台地をつなぎとめるもの」の記述も。伝統的な十字架信仰があればこそキリスト教のシンボルも容易に受け入れられたのです（チアパス州でも同様。本章の後半）。

見学後は街の南方へ向かいます。高さ一〇メートルほどの巨大の岩山中腹に黒く煤けた洞窟、そしてその手前の木造小屋には人の気配も感じられます。岩上にはホテルか別荘らしい豪壮な屋敷が屹立し、邸宅が先住民族の住居を押さえつけている構図です。車道から離れ、白濁した小川沿いの草原の細い道へ降ります。大小多様な形の岩山が多重面相で次々と出現、前方に松林、その先には岩山群そして小川という展開が連続し、三五年前、まさにこの光景に魅了されたのでした。

奇岩群。岩も進化する（チワワ州クリール）

約一時間後、岩の端から老人が抜け出るように突然出現。挨拶をと思っていると、むこうから「クイラバ！（こんにちは）」の声。紛れもなくタラウマラ語！ 彼の声かけを「クミスミ？（どちらへ）」と思い違い反射的に「ラゴ（湖）」と目的地を返答。彼はスペイン語で「ケテバヤビエン！（よき旅を！）」と一言。以前、多少かじった民族語を今回復習しなかったことが悔やまれます。挨拶に対し行き先を返答するとは、彼は内心苦笑でしょう。ただ民族語で話しかけられてすっかり気分が高揚。道をさらに進むと今度は暗い雰囲気の若者とバッタリ。さてこちらから挨拶をと思うと、いきなり、「セニセロ？（マッチは？）」

「……」

「フマール！（たばこ吸うんだよ）」と憂鬱そう。しかし、当方「煙もの」がダメで丁重に断ると、残念そうでもなく去っていきます。「クイラバ！」を使ってもらえなかったのが心残りでした。

すでに夕方六時、風景に見とれ雨季は夕方からスコールが多いことを忘却していました。みるみるうちに全天が黒雲に覆われ夜のようになったかと思うと強雨が襲います。雨宿りのために許された空間は近くの小屋の軒先五〇センチほどだけ。急ぎ走ってそこへたどり着くや頭上の低い屋根は音の爆発のよう、足下では土道が容赦なく泥水をはね上げます。

はや一時間、雨も稲妻もとまりません。しかも、黒鉛の空がほぼ一分ごとに光り、傘をさし雨中を駆けるわけにもいきません。体感温度も下がり少々危機感すら漂ってきます。すると雨煙る中、土の道を荷台だけで周囲枠なしのむきだし、陸送のような大型トラックが、ごくゆっくりと近くへやってきました。運転席の褐色で精悍な青年が、すぐに気づき声をかけてくれます。幸いにも拾われ車は舗装道に出て二〇分もせず街へ帰還。彼、ハビエル氏は街の学校へ二人の子どものお迎え、父親とは思えない若々しさで子どもの話のときはうれしそうでした。木材用の大型トラックで送迎というのもこの土地ならではでしょう。いつも持参の土産用絵はがきをあいにく持ち合わせず、かなり迷い、お礼として少々お金を渡そうとしました。彼は即座に拒否。「大変困ったところを、失礼と思いますが思い出になる品物もなく子どもに菓子でも」と頼みます。自分の納得のため彼の善意への踏み込み。小屋下で夜まで過ごす恐ろしさを思い、少々でも感謝を伝えたいのでした。彼は表情を変えず黙って受け取ってくれました。

近くの食堂に入り疲れた体を椅子にあずけ、ふと横テーブルを見ると若いメキシコ人女性三人と五、六歳のタラウマラの子が一緒にいるので耳をそばだてます。彼女らは民芸品売りの少年を座らせ、タコスを与え基本会話を習っているのです。見ていると、やってくる小物売りの少年少女を次々と誘い、断らない子を座らせて交替での即興学習。軽い感動とともに少々の違和感を覚えました。感動は、国内外を問わずツーリストは民族語学習を、と日ごろ思っているからです。ただ、子どもを食事で釣って次々と着せ替え人形のように扱うのには抵抗がありました。

彼女らの話の隙に口をはさみます。まず「ツーリストが彼らの言葉を習うのは、民族の誇りの維持にも役立つでしょう」と学習姿勢を高く持ち上げます。そのあとに首都の古本屋で購入し持参してきた伝説と神話掲載の『タラウマラ物語』を見せると、彼女らはそれを使い子どもに話しかけはじめました。三人はメキシコ市出身で学生時代の友人どうし、現在は各地方に住み休暇を使っての旅行。子どもを次々交替させるのは多くの子どもに食事の機会を与えるためだというのです。

外へ出るとようやく雨上がり。ふと物置小屋前で拾われず、あのままだったらと空を仰ぎながら改めて思うのでした。

## キリスト像の下で

七月最後の日曜の朝をチワワ州の山あいで迎えることになりました。鶏のときの声そして鼻孔の奥から脳天までスーッと流れる清冽な空気。ホテル裏の小高い丘には五メートルほどのキリスト像が街を見守っています。朝食のパンとバナナを手に丘を登り町並みを遠望すると、ポプラや柳並木がとても鮮やか。本を片手に立像の足下でいろいろと思いが巡ります。思い出の強弱、あるときあるところでの強烈な記憶が毎日の一時間を支配したなら、睡眠食事を除けばその人生八〇年の一割を支配することもありうるな、と。逆に毎日拝顔の家族でも心あらずば単なる虚像で共感時間はなきに等しい。

私にとって「タラウマラ」というキーワードは別のワードと連動し記憶の連鎖を呼び起こします。「メキシコ」「先住民族」「貧困と差別」「グローバル企業」「消費あおりの情報操作」「結核」等々でわが脳内が反応するのです。こういったことが悪い方に働くのがＰＴＳＤ、よく働けば生きる希望の最後の糧にもなりえます。名著『夜と霧』（ヴィクトール・フランクル著）ではアウシュビッツの極限状況で、人々に残された唯一の自由「よき思い出を振り返ること」の貴重さが指摘されていました。ここ彼らの大地は世界の根本的課題を考えるとき記憶をいつも私に甦らせてくれるのです。山里を遠望しながらそんなことを思っていました。

周囲を散策して戻ると像の下で初老の人が街を俯瞰中で、「どちらから？」と声をかけました。

「グアチョチから、一日四便のバスで三時間かかります。ここに息子と娘がいて訪ねてきました」

「それはお幸せですね。お二人も」

「もう一人の娘はアメリカで稼いでいます」

ややうちとけ昨日の雷雨体験を披露します。彼はまじめな表情になり「稲妻のときはすぐに松林から離れてください。そして落ちぬようにキリストに祈るのです」とアドバイス。しばらくして彼は「外国語が話せていいですね。私はひとつもできません」としんみり。「もう遅くなったので」と言い残しスーッと抜けるように坂を下って行くのでした。味わい深そうな人でもっと話したかったのですが、さわやかさとともに後姿にさびしさも感じました。その背に先の一言が重なり、勉強が好きなのに機会を得られなかった人生を見たような気がしたのです。

下界の広場前では、教会の扉を日曜日だけは開けているようです。ほかの地域では毎日開けるのとは大違い、治安問題が絡んでいるのでしょう。内装には磨き上げた木材を使いこの土地らしい教会建築。とても清楚な雰囲気も以前どおりで訪問者は最前席に母親と少女だけ、がらんとしています。

壁はめ込みの聖書の言葉が以前とは変化していました。前の「私（キリスト）は命のパンである」はとてもわかりやすい表現でした。今や「（キリストは）低きものどもに神の国の奥義を現したまえり」。辞書を片手に思わずため息が出ます。赴任神父により言葉の好みも変わるのでしょうか。教皇庁の方針と関係あるのでしょうか、空腹のせいもあってか断然「パン」の方に惹かれます。

その後、タラウマラ共同体経営のレンタサイクル店へ。閉店時間までまだ数時間あるのですが「今日はもう貸し出しません。明日来てください」。日曜日の「稼ぎどき」ですが実に淡泊至極です。昼食後、新聞に目をとおすと、この間読まなかったせいか、新鮮で重要記事が軒並みオンパレードの感じです。

El Diario紙（発行場所　チワワ市、七月二五日付）の主な見出し

・連邦政府は石油公社《PEMEX》、電力公社《CFE》の労働債務（年金など）の引き受けを決定。
（これで労働者側は両公社の民営化に対してやや妥協的になるか？）

・老後の貯蓄人口の割合は一〇%以下。

駅前の一軒だけの夜店（チワワ州クリール）

（日本でも貯蓄ゼロ人口が今や約三〇％というし。）
・車生産工場誘致に州知事が訪中。二〇〇〇人の雇用を生む可能性。
（日本からも中央地域の州に数社進出。競争激化か。）
・国際連合が「世界中の二億人が貧困」「メキシコ女性の貧困度が悪化」と発表。
（実数はもっと多いはず？）
・ニューヨークに中米から三三〇〇人の子どもがたどり着く。米政府は「保護する」と。
（表に出ない悲惨なケースが多い、むしろ彼らは幸運か。）
・米国がメキシコの違法移民のうち一・三万人を強制送還。
（各地で会った人たちの在米生活を思い起こす。）

## 小屋食堂の人生

今日も夕方は滝のような雨、部屋からただ見つめます。軒先が軽振動するほどの豪雨、雷光は毎分の猛烈頻度で黒雲を閃かせ、昨日より激しく一時間半も続きました。しばらく机に向かい小降りに気づきドアを開けると、山丘を背景に二重の虹がかかっています。ただ立ち尽くすだけ。明日、懐かしいこの地を去る旅人への餞と思うことにしました。

日本への依頼稿を書き終えて、さあ食事、で駅前の小屋食堂を思い出します。もう一〇時半で閉店後のはずでしたが暗い広場の一角、希望の灯のようにたたずんでいました。タコスを注文しマリアさんに「明日、チワワ市へ帰ります」と伝え「まだ店を閉めないの?」と尋ねます。

「もうしばらく」

周辺に人の気配はなくて、もう客は来ないと思っていたら、スラリとした車がさっそうと横づけして青年が二人降りてきました。聞けば「チワワ市から」「毎年来ているよ」と事務的返答。彼女にも私にも一切関心を示さず注文した二、三品を車へ持ち込みサッと去り、再び二人だけに。彼女には、どういう娘と息子がいるのだろうか。「二人とも元気、私も元気。一人はここにもう一人はチワワ市に居住」と言っていたけれども。それは現実ではなく願いなのでは、などと想像しながら握手し帰路につきます。振り返ると、闇中の灯はスポットライトのようで、まだかいがいしく働く姿を照り映しているのでした。

### 岩たちとの共存

翌日は快晴、急かされるように先住民族経営のレンタル自転車店へ。マウンテンバイクで南へ走り出してすぐ、後ろから英語を話す若い男女がハイスピードの自転車で追い抜き、手を挙げると楽しそうに応えます。まもなく、犬が二、三頭歯をむきだし敵意込め猛烈に吠えてわが後方に。咬みつく意志がありあり。蹴るしぐさをしつつ全速力で森の道に入ります。畑地や小牧場も続き、三〇分ほどで岩山中腹の洞窟と木造小屋群のミニ集落が見えてきました。クリールの高級ホテルの中型ボンネットバスがとまり、三〇人ほどの観光客が周囲に並べられた手工芸品を物色したり洞窟を見物中。その洞窟の天井はかなり高く奥行きは浅く、壁の全面がススで黒くなっています。

「住人」たちは手持ちぶさたで子どもたちもリラックスの態。めずらしげな表情の観光客を気にもせず、逆に大人びた顔つきで達観し彼らを観察、その態度も堂々たるもの。奥には子ども用の錆びた古自転車が置かれ穴居生活イメージは霧散。ただ穴居も現代の居住の選択肢にすぎず一般消費財の利用はごく当然です。

洞窟生活も観光スポット（チワワ州クリール）

この穴居住まいの実態については学者でも意見が分かれています。実際には隣の木造小屋で生活しており、かつて利用した洞窟を観光客向けに現住のように見せているという「観光説」がひとつ。他方は実際にも洞窟で生活中とする「実生活説」。さらに季節・天候などの条件つきの洞窟利用の「一時利用説」もあります。学者や行政関係者が質問しても実態どおりの回答があると限りません。洞窟の近くにブロック建家が数軒、二、三からは煙も出ていたのです。

そこを離れ再び砂利道を進みます。グリーンの牧草地の水平線、グレーの岩山群の垂直線。それが絶妙に調和した世界。遠くの巨大岩の端の広場大の板状岩盤上で子どもたちが数匹の犬と遊ぶのが見え隠れ。その周辺を鶏も駆け回り、せせらぎや鳩の声も聞こえますが子どもらの声は風に霞むばかり。使用言語の確認ができません。

しばらくして老婦人と少年が歩いて来ました。先日、民族語で挨拶されたことを思い出し、こちらから「クイラバー!」と声かけ。一瞬とまどう彼女、返事はなく二人は速足で過ぎて行きます。

次に四、五人の男女子どもグループ。無理にリラックスの明るい表情をつくって「クイラバー!」エールを、やはり返事なし。自転車を引き一〇分ほど歩くと、自転車通学らしい少年がやってきました。

今度は思いっきり手を高く上げ「クイラバー!」と声を発すると、彼は私と同じポーズでキジのようなカン高い声で返事をしてくれました。

まもなく「キノコ岩」地区に到着(本章扉の写真)。好展望地で一帯には奇岩中の奇岩、キノコ状岩が林立。中には数メートル高の極端な逆円錐形のものもあり、手で強く叩くと根元の細い部分が折れてしまいそうです。周辺にはゴザ敷き露店が民芸品売り。そこへまたホテルのバスが来てツーリストが群がりますが購入者は二、三人。やや離れた奇岩群の下では民族衣装の少女少年らが憩いながらスペイン語で会話。民族語はこの辺ではすでに押しやられつつあるようです。

少し歩き一帯を展望できる岩山の近くに腰を下ろし、持参のバナナと昨夜の残りタコスでランチとしました。そこは露店群からの声は届かず、遠くでは鳥が鳴くように列車の汽笛。

正午前に、サン・イグナシオ・デ・アラレテ村に着きました。古くて小さな教会、キリスト教の外見を保ちつつも供え物や雰囲気が先住民族の文化をイメージさせ、それを売りとする観光拠点です。ただ隣地の小学校周囲には張り巡らされたソーラーパネルがズラリ。「穴居生活」民族との文化習合を象徴する教会、そのすぐそばの超現代的な装置。思わず両方に刮目していると突然後ろから声がしました。集団ツーリストの中年男性で、周囲に一台だけのわが自転車を見ながら「元気だな」とエールをくれます。少々話すと「私と同じ歳だよ！」と彼は再び激励。この気さくさがメキシコの旅の味わいです。

帰路、先住民族地区の出入り口の詰め所で管理担当の中年男性に少々尋ねました。

「タラウマラ語の学校は近くにありますか?」

「レノゴチにあります」

語学校の所在や開講時期は人により意見・印象が違い、公的制度とは別に私塾もあるのでしょう。彼に「言葉ってとても大切ですね」と当然のことを言うと、特に答えないで、ただニコリと笑うだけでした。

ホテルに戻り清掃担当のタラウマラ人中年女性のルシアさん、オーナーの孫娘と談笑。ルシアさんからタラウマラ語の復習をしつつ世間話を続けます。

「この約二〇年間、生活の変化はどうでしたか?」

「自分にとっては少々よくなったと思います。こんな風に現金収入を得られるからです」

これを聞き、環境にやさしく先住民族文化や言語の活性化を伴う「持続と復活」観光の重要性を感じさせられるのでした。

二人に別れを告げ、帰路のバス車窓からは断崖山丘の多さに気づかされました。メキシコでは遠景は穏やかな丘陵が多く、長大で壁状の丘も続きます。前述のマリンチェ山などもそうで山麓が非常に長く、八ヶ岳や鳥海山の裾野より緩やかです（第三章参考）。一方で近景の山はせまりくる感じがします。これは樹木の少なさ、絶壁や断崖の多さ・高さによるのでしょう。垂直と直線は人工性を連想させます。『本の中の世界』（湯川秀樹著）でいう「自然は曲線を創り、人間は直線を創る」イメージです。もしこの山々が人工建造物なら、小丘といえどもピラミッド並みの超巨大な芸術作品。もし断崖山丘でなく森林に覆われた緑の連山ならば、巨大でも自然物イメージは維持され遠景と一体感も保たれます。しかし眼前の茶化た切り立った山は「俺たちの本当の正体は人工作品なのだよ」と主張し、巨大な無名アーティスト集団の存在を暗示するのです。このいわば「芸術化した自然風土」がメキシコにおけるメガ芸術作品や壁画運動と深層で通底しているような気がしてなりません。

## 異郷での供養

その夜のチワワ市では、三五年前同市で出会い、現在は米国居住の友人の妹スサナさんと弟サルバドール氏から市内の実家へ夕食に招かれました。三五年前は妹弟ともに学生、今や妹は落ち着いた母親、弟は禿あがり年月を感じさせました。両親は数年前に八〇代で相次いで他界、話題がわが両親に移りたまたまこの日が母の命日で予期せぬささやかな供養となりました。居間の壁の両親祖父母との家族写真が私たちを見つめていました。

弟は米国のエルパソ市居住、週末をバスで五時間のチワワ市で過ごします。エルパソ市はメキシコ側のファレス市の国境の向かい、ただ、この夜「マフィアの町ファレス市」は話題になりませんでした。市民がマフィアと闘う映画『皆殺しのバラッド――メキシコ麻薬戦争の光と闇』（原題は"Narco Cultura"＝麻薬文化）が日本では二〇一五年に公開。同市の人口は約一〇〇万人で年間殺人数は三〇〇〇人超。実に日本の年間殺人数の二倍以上です。一方、エルパソ市は米国有数の治安のよさ、両国の最良と最悪の町が接する皮肉。その夜、私は応接間で地図などを示して福島原発事故と現状に触れ、二人は身を乗り出して聞いていました。

## イダルゴ神父、殺される！

同州最後の日、予定していたことがめずらしくほぼ順調に実現しました。

まず、クリール訪問前に説明を聞いたシエラ・マードレ《ASA》同盟へのお礼の挨拶と報告。私の再訪はスタッフには想定外のサプライズとなり大歓迎され、現地の近況も尋ねられます。また、環境保護の立場からフクシマへの関心も高く現状を説明しました。

次に、先日は店が多忙で挨拶だけだったマニュエルさんの薬剤店再訪（既述、第二章）。同氏の亡きあとに店を引き継いだ息子さんたちは相変わらず忙しそうに接客しています。代わりに成人した初孫が氏の最期や店の近況を説明してくれました。今や彼も天界、店の天井を飾った薬用の乾燥ガラガラ蛇も消え、一人の元気な青年と中国や世界中から集められた動植物原料の薬が並んでいました。

イダルゴ神父の処刑を今日に伝えるための演劇リハーサル（チワワ市州庁舎）

　続いてチワワ州庁での統計資料入手。庁舎の中庭でマフィア事件発生か⁉　三〇人ほどの兵士の隊列に目を見張ります。別の兵数人が中央吹き抜けで椅子の人に銃を突きつけています。ただ、緊張感がなく周辺に何十人もの人垣で、すぐに「演習」と理解します。そういえば明日は七月三〇日、メキシコ独立運動の火つけ役ミゲル・イダルゴ神父が一八一一年に処刑された記念日です。その処刑現場がまさにここ、というわけで毎年の記念行事会場。椅子上の人はイダルゴ役、本物の兵士たちは「スペイン兵」。彼らはすでに「処刑」疲れ、演技指導のたびに空砲とはいえ銃声は中庭に反響し耳をつんざき大変な迫力です。こうした行事は国民国家の団結の高揚ねらいで、疲れ切った彼らもその教材なのでした。

　そして、そこを出てから国立統計地理情報院（IN

ＥＧＩ）・チワワ支所へ直行。対応した四〇代半ばのカルロス氏はパソコンを前に統計表を広げ「何でも聞いて」とオープンムード。そしてすぐに「この数字で何か感じません？」と二〇〇五年から五年間の同州死亡統計データを広げます。なんと男性の方が女性よりも死者数が一万人近くも多い。

「理由がわかりますか？　麻薬マフィアの抗争によるのです」

聞いていましたがその数字を見て呆然としました。

「近年は取り締まり強化で殺人はかなり減っています」と関連の数字の紹介をひととおり終えます。

ここで、彼は暗い話題を変えるつもりか一転。「日本のアニメは素晴らしい」と話が大跳躍。表情も一変し明るく次々と知らないアニメのキャラクターのオンパレード。話題を合わせられず申し訳ない限りです。中年の彼にしてこの熱狂、メキシコで日本語教師になる動機が日本アニメである人が多いのも実に納得です。


帰り際、彼はしずしずと一枚の用紙を示します。アンケート用紙で「職員の接客態度」などの項目が列挙。この間の彼の態度はこのための親切ではないと思えたので、対応を最大賛辞で記入。ただしアニメ談議には触れないで。

本日最後の予定はパティの医院再訪です。国立統計地理情報院《INEGI》近くの彼女の医院を地図片手に駆け足で探します。汗いっぱいでたどり着き、チワワ市到着直後に会食に招いてくれた返礼で近くのランチに招待しました。食事しながら再訪を終えた懐かしの山里の「奇岩に涼風、人々の営みと伝統的な精神世界」を脚色なしに伝えました。彼女は四時から夕方外来の再開です。ランチで時間オーバーでしたがホテルまで送り届けてくれました。途中、ケータイに医院から催促が入りますが、昔同様、彼女はまったく気にもとめません。再会を約束し急ぎホテルの受付で荷を引取り市内バスで郊外のターミナルへ。車窓からの薄オレンジの空とちぎれ雲が美しい夕方でした。

バスでメキシコ市までは約二〇時間。メキシコ市直行のバスと思って乗ったのですが、しきりと途中でとまります。それが「途中停車型」だと気づき細心の注意が必要に。足元には貴重品バッグを底にして、衣類や一般資料バッグをその上へ、棚には一切置きません。幸いにして右隣の座席は空席。真夜中に少々まどろみ夜明け直前に隣席に中年の男性が着席しました。この御仁、地味でパッとしない服装で二、三言なんとなくお互い挨拶をします。目覚めは日の出直前、東の空が輝きはじめていました。ふと隣を見ると先ほどの客がいません。全身血の引く思い。しまった。眠りこけなければ！急ぎバッグを点検。だが、なくなったものはありません。「やたら人を疑ってはいけません」。古きよき教えが脳裏をよぎります。自家用車を持たないあの人は真夜中に長距離バスに乗り、すぐに降りねばならぬ急用があったのでしょう。人には他人に想像できないことがあります。ただ、彼が「クセモノ」の可能性も否定できません。バス内でもっと「上客」を見つけたのかも。それとも、同じ年格好で似た装いの金と縁のなさそうな外国人に気がとがめたのか。たび重なる友人の忠告の影響もあったとはいえ、人を疑うさびしさを禁じえませんでした。

明け方、路上検問に遭遇。急停車し二人の私服検査官が乗り込みます。乗客の顔を一人ひとりチェック、手荷物を見ていきます。わがバックは開けられませんでしたが、中身をしつこく調べられている人もいます。検査官の一人は天井換気口もこじ開け一五分近い取り調べ。幸いおとがめの乗客はなし、麻薬密輸との闘いのほんのワンショットです。

渋滞にもかかわらずメキシコ市着は午後四時半。予測どおりの一時間遅れと思ったら時差で（メキシコの時間帯は三つ）、実は夕方五時半。このルートは三五年前に約二二時間かかりました。今回、切符購入時に係員は「通常一八時間、渋滞により二〇時間」と言っていましたが、結局それよりも二時間余計にかかり、一世代前の所要時間に戻った二重の「タイムスリップ」なのでした。

## 南の国境——チアパス州マヤ諸民族の地へ

### 再びの予習

三五年前、チアパス州へは時間が取れずに訪問を断念しました。同州は、留学から一五年目の一九九四年一月、マヤ諸民族の貧困撲滅のため北米自由貿易協定《NAFTA》などに反対して立ち上がったサパティスタの土地で、今回ごく短期間でも訪れたいと考えていました。知己もなく今回もまた先住民族開発全国委員会《CDI》のお世話になります。

まず、この間の協力へのお礼の挨拶とサリエゴ元教授との面談などを報告、チアパス訪問の注意点を確認しました。予想外に、資料担当でいつも親切なアンヘル氏が「昨年、数週間、現地の周辺部を調査踏破」とのこと。彼は四年前からグアテマラ国境地帯の定期調査を継続中、意気揚々とパソコンで地図や写真、図表を示しての説明。諸民族の課題、中米からの移住・難民問題、日系人の歴史などとテーマを絞り旅程の選択肢までも提案してくれるという心遣いです。その後、一番聞いてみたいことを尋ねました。

チアパス州から離れた地方でのサパティスタ支持者（イラプアト市中央公園）

「昨今のサパティスタの動向はどうでしょうか？」

反応が気になりましたが、彼は表情を変えずあっさりと、

「今はもう武装戦術でなく政府との対話路線に変更、同州訪問にまったく問題はありません」

これまでの友人たちとは別感触の答え。彼らも概ね、差別と貧困に抗し立ち上がったサパティスタの思いや目的に理解を示しています。ただ、具体的戦術にはやや批判的、また柔軟路線に変更といってもビクのように「近づかない方がよい」の声も聞いていました。そこで、アンヘル氏から何かお墨つきをもらった気分でした。

サパティスタは武装蜂起後、世界中の支援メンバーとネット交信・交流し、支援者や理解者の来訪を歓迎しています。積極的協力ができなくとも訪問することで、世界が彼らに関心と共感を持ち続けていることを彼らやメキシコ政府に示せます。また、それで少しでも政府の軍事攻撃再開の可能性を減じたいと思う人が世界に数多くいます。無名の訪問者はその思いと地元友人のアドバイスとのはざまで行きつ戻りつしていました。

ただ支援者を装い工作者が潜り込むのは世の常。政府軍の挑発もあるかもしれません。仮に不測の事態でも友の忠告への無視ではなく専門家の意見を参考にしたということで彼らも私も傷つかないように、という読みもありました。アンヘル氏は確信に満ちた言葉で勤務時間を三〇分以上もオーバーして説明を続けるのでした。

その後、マルガリータ博士の部屋で挨拶と報告。さわやかな彼女は「ルイス（サリエゴ元教授のファースト・ネーム）に会えたのですか？」とやや意外そう。また「チアパスは素晴らしくて私も大好き。実は今週行きますが残念ながら日帰りです。先住民族開発全国委員会《CDI》だけでなく有力な大学や諸機関も支部を設置」などとの説明のあと、「週末のフライトはもう満杯、早くしないと」とアドバイスされるのでした。

現地訪問前にメキシコ市内の日本人宿で最新の情報探索を試みます。ひょっとするとチアパスに知人のいる旅人と会えるかもしれません。先の北方の旅と違い初訪問で知識も乏しくてしかも短期滞在、そのため先住民族開発全国委員会《CDI》から同地の専門家の紹介依頼は遠慮しました。

久しぶりに日本人宿のサンフェルナンド館を訪れると、ロビーの大テーブルで一〇人くらいが自炊室からの料理で夕食中。ただチアパスが話題にあがらず、私は好物のモレ（肉野菜の煮物）入りパンを食べ終え二階の自室へ行こうかと思いました。そのとき「ツクストラ・グティエレス」（チアパス州都名）が話題に、すぐ耳を寄せます。彼ら宿泊者はほぼ二〇代、三〇代の若者、ただ、私が古《いにしえ》の元留学生と知ったあとも、特に何かを聞いてくることはありません。私も彼らのスタイルに対し説教ぽいご高説をたれず、彼らの感覚から学べないかと常々聞き手に回っていました。するとどうもひとりの青年が私より一時間遅いフライトでツクストラに行くようです。そこで彼に私の旅程を伝えます。この三〇代半ばの農さんは数年前まで青年協力隊員として同州南部に滞在、栄養指導をしていました。そこは米大陸での日本人の最初の移住地タパチュラ市近郊。そこで親しかった日系人家族の親戚がツクストラ在住。彼は明るく語ります。「空港で家族を紹介します。スペースがあれば車で街中まで送ってくれますよ」。まあ、そこまで甘えるわけにはいかず、「日系の方に会えるだけで幸運、挨拶だけで充分です」と伝えました。と、この夜この宿に泊まったかいがあったのでした。

## ツクストラの日系人

翌日、空港駅着後すぐにロビーで突然ケータイが。農さんからです。彼とはツクストラ空港で会う約束のはずが何か？「近くまで来ています。バニュエラ（油で揚げた薄せんべい）が残りそう、食べてもらおうかと今探しています」。彼のお察しのとおり確かに空腹、ロビーで落ち合いソファに並んで一緒に胃袋へすっかりと収めます。飢えているだろう中年を思い出し、余りものを簡単に捨てずに届けようという青年の心意気に小さな感動を覚えるのでした。

ツクストラ空港には一時間で到着。路線バス便は乏しく案内所ではタクシー情報しかくれません。空港レストランで注文した最低価格品のチーズ皿がようやく目の前に。だがふつう、サービスでつくはずのトルティージャが無しで平均価格の三倍近い六二ペソ（約五〇〇円）。主食を抜いて急ぎチーズを口に、と思ったらケータイ・コールで、農さんの予定より早い到着です。しかもすでに「日系人家族が待っている」と。すぐチーズを包んでもらい空港ロビーへ駆け足です。

彼の友人ナガタさんは四人の出迎えで一人は乳児。その場での自己紹介にとどめるつもりが皆さん「車は五人まで乗れますよ」と熱心に誘われ、結局ご好意に甘えることとしました。

初めてのチアパス州とツクストラ市、車窓には緑深い山並みが続きます。車内では一世代前の留学体験や各地でのフクシマトークが話題に。「適当なバス停で降ろしてください」と依頼すると、「家で皆と食事をどうぞ」とのご招待です。

ナガタさんの家は中心に近い東部の新興住宅地。食堂兼ロビーに入ると四年ぶりの農さんの帰還に家族親族が総出で十数人の大歓迎会です。拾われた中年オヤジは彼への歓声と拍手、頬キスとアブラソ（抱擁）がひとしきり終わるのを待ちます。その後、保護された家出少年のように大中小の何十かの瞳の前へ少々前進。自己紹介が終わるや「食事を！」の声が響き、厨房からチキンフライやスープなどが次々とテーブルを埋め尽くしていきます。

同州の日系人・日本人は三集団に分けられるようです、第一に明治初期の榎本武揚開拓植民の末裔。次が一九一〇から二〇年代の移住民の子孫。そして現在の企業進出などの長短期滞在者と近年の移住者。ナガタ一家は二番目のグループで、多くは三世、子どもには四世も。日本語ができるのは日系二世の七〇歳近いナガタ夫人だけで片言。ご招待の返礼に折紙セットと先のレストランで入手のチーズをごくささやかな土産としました。子どもたちが競って折紙に挑戦し大いにはしゃぐので、珍客は突然飛び入りの後ろめたさをやや逃れて気も晴れるのでした。

結局、三時間近い長居で今度はなんと「しばらく宿泊していきなさい」とまでの歓待。正直なところ貧乏旅行の上、とても温かい人たちから日系人の歴史を習うチャンスで、願ったりかなったりの申し出です。ただ今回の旅程の短さ、前日の不眠と疲れのため予定どおりに中心地のホテルに向かうこととし、家族と農さんが車で送り届けてくれました。空港でホテルを予約していなかったなら、きっと宿のお世話になっていたことでしょう。

夜の中央大広場では翌日の独立記念日に向け飾りつけや音響設備の据えつけの突貫工事中で、多くの人々が柵の外から遠巻きに見ています。向かいの中央教会前は夜店も出て大変なにぎわい。その一角では、一〇〇人以上の観客に囲まれた大道芸のピエロが周囲から幼児を一〇人ほど選び出します。見せ物の可愛い相棒として彼らを中央に集め質問しおどけて大爆笑。オチは理解できませんが子どもたちの表情と観客の笑顔だけで充分楽しめます。

一〇時頃にはホテルに戻り明日の宿泊先を考えました。目的地サン・クリストバル・デ・ラス・カサス（サンクリ）には日本人宿が一軒、ネットの書き込みによれば毀誉褒貶、「まあ一泊だけ様子を見るか」と電話。青年の声で予想外に丁寧な対応です。「個室は一二〇ペソ、相部屋は七〇ペソ。ただ窓なしです。到着は真夜中以外なら遅くてもかまいません」とのことで、一泊予約を入れました。

さて、ようやくシャワーの時間。だがどうにも冷水しか出ません。安ホテルではときどきあることで我慢して浴び一〇分後、今度は突然熱湯が。必死の調整もむだで退却し全身ヒリヒリ。よいこと尽くめの一日でしたが最後は水攻め火攻めの中、旅の油断を戒めつつベッドに倒れこむのでした。

## 「私たちはチアパス人です」

翌朝、出かける前にケータイが鳴ります。農さんからで、「ようやくサンクリのイトウさんと連絡がつきました」の朗報でよくよく気の利く人。しばらくするとまたコール。今度はメキシコ市の国際交流基金で紹介された日本語教師のクラオカさんから。この数日間、メールも留守番電話へのメッセージも返事なしで面談はほぼあきらめていました。彼は勤務先のチアパス州立芸術科学大学(UNICACH)へのバス乗り場を丁寧に説明。安易に「タクシーで」と指示されない点に自分と感性が相通じます。この日は祝日ですが街角のテーラーでは何台ものミシンの前で婦人らがわき目もふらないで縫製労働。一方、病院前では待合室に入りきれぬ人々が路上待機。零細企業の労働者、また病人とその家族には最重要祝日も無縁です。大通りの歩道上では腕を枕に堂々と通行人に顔を向け眠り続ける老女。周囲を支配するようなその存在感には感慨すら禁じえません。飾りつけを終えた広場は今夜の記念日祝典にそなえた嵐の前の静けさ。バス停を尋ね歩き昨夜散策した街中央からは山並みを遠望。その手前、市庁舎の巨大な横断幕が目を引きつけます。

『私たちはチアパス人です。私たちはメキシコ人です』

これこそがメキシコ近代史を一言で濃縮した表現でしょうか。一九世紀初頭、独立戦争で国民国家を獲得したメキシコ。二〇世紀初頭、大地主と大資本家に対しメキシコ版南北戦争、ラテン版ロシア革命ともいえるメキシコ革命を成功させたメキシコ。その中での国内の亀裂の修復がこの「メキシコ人」という言葉に込められています。他方近年、国連主導の『先住民族の一〇年』計画など世界中で先住民族などとの多文化共生が標榜されています。その思いは「チアパス人」の一語に凝縮。また、チアパス地方は中米の各国のように歴史的・文化的には、メキシコと分かれ独立の可能性があったので、その独自性も示されています。まさに自治と独立、二重アイデンティティも暗示しています。

大学に着くと、ちょうど授業を終えたクラオカさんが門まで迎えに出てくれました。「記念日で大学は休みですが、私の版画クラスだけはスペインの客員教員とともに特別に開講します」と形式ばらず弁舌さわやかです。彼は美術評論家だった針生一郎氏と面識があり、私も同氏の弟子から絵画を習ったので話が弾みます。また同校は東京学芸大学と姉妹校提携で交流が活発化、また四月には震災復興中の石巻市支援訪問も実現。同氏が版画制作など芸術活動と身体を動かすことの通底を強調されるのはとても同感できました。残念だったのは、私のチアパス滞在の短さから、大学で学生を集める時間が準備できないこと。それを丁重に詫びられるので「フクシマのことは三年や五年で解決する問題ではありません。また、被曝者の方や具体的な体験や知見を話せる人はたくさんいます。機会はこれからも多いでしょう」と伝えました。版画クラスを見学し客員講師や学生たちと話し、近くのバス停から次の目的地コルソ市に向かいます。

## コルソ市でひと休み

市中心で下車したものの豪雨まっ最中。雨宿りも旅のうちと屋根つきバス停で次々と来る中型バスを目で追います。同市は空港のある州都ツクストラ市と目指すサンクリ市の中間地、だが不思議なことに「サンクリ」行きのバスが全然来ません。

ようやく小降りになり中央公園へと歩き出します。紫色の民族衣装の色調が素晴らしく目を見張ります。中国雲南省麗江地方で遭遇したナシ民族の衣装と酷似しており、民族の色合いの好みが距離を超え類似を生むのは文化形成の妙でしょうか。日本でも藤や紫陽花など紫への愛着は深く、色の採用は鳥類や蝶などの配色世界に霊感を得て厳選されたものでしょうか。

急坂を上ると遠景にテーブル状山丘、周囲の家々には小さな玄関だけでファザードにさえ窓がない建屋もチラホラ。廃車同然の古い車を前にした日干しレンガや土壁の中が丸見えの家も並びます。急坂路地の頂点が丘の公園で素晴らしい展望。好眺望を前に青年がたった一人いるだけ。流れる汗を拭いつつ尋ねると「サン・グレゴリオ公園」と、異邦人に無関心ですぐに立ち去ります。汗をタオルで拭き息を整え、はるか平原を南へと流れる大河を遠望。その上流が名高いスミダ渓谷。峡谷から平地に抜ける扇状地の広がりを見せています。ただ、谷の両岸の断崖は街に入る直前で屈曲しそこから望めず、凄みある光景はカモフラージュ。

小休止後に中心地へ戻り路上でサンクリ市へのバス停を尋ねます。どうも明答が返ってきません。

停車した小型バスの運転手は「まず中型バスで幹線道路との合流点へ、そこで乗り換える」と指摘。同州の二大市の中間の街中から直接の長距離バスは出ていないとは？　ところが路線バスでバイパスに着いてもバス停が見当たりません。路上の待ち人に聞くと「自力でバスをストップ」と知らされます。さてさてともかく通過する大型バスに挙手するも次々と無視に次ぐ無視。排気ガス弾を浴びせては疾風のように過ぎていきます。疲労困憊直前に数人乗りのコレクティボ（乗り合いタクシー）が停車。最後の乗客として拾ってもらえたのでした。

乗車後、十数分もせぬうちに耳奥がピーン、一気に高地に向かっているようです。進む尾根筋の左手は山の側面、右手下方ははるか平原が続く壮大な風景の展開。突然、砲台運搬の小型軍用トラック三台と行き交いまもなく大型軍用トラックがそののろい動きで後続車を妨げ、渋滞がはじまります。相次ぐ軍用車の出現はこの地の状況を暗示。ほどなく峠越えの常道のように濃霧に巻かれ、それが晴れるとやがて劇場の幕が上がるようにして山あいの先にサンクリ市の町並みが見えてきました。

## サンクリのほの明かり

街の外縁に入るやすぐに大型スーパーが眼前に出現。「古都サンクリ」イメージが吹き飛びます。コレクティボを降り中心のインスルヘンテス通りを北へ、うれしいことに高層ビルがまったくないのです。ただ、道路にはテレビや電気系店舗・修理店が続々。狭い一車線は個人車行列の渋滞で路線バスもバス停も見当たりません。私は誕生以来クルマの所有経験なし、またほぼ五〇年間ノー・テレビ生活。苦手存在たちがいきなり列をなして登場し世界遺産の街で次々と襲いかかるのです。幸い道は途中から歩行者天国に。夜も歩道沿いに子どもの靴磨きが客を求め、中年の新聞売りが「ディアリオス・チアパス！（チアパス日報）」と叫び声。

何度かホテル名を尋ね、角を曲がると四、五メートル幅の川が大きく蛇行し川向こうには小さな森が黒々と出現。街灯が届かぬ道を川筋の繁茂した草を見ながら歩くと小さな光が瞬きました。目をこらすと確かにゆっくりとその一点の火は川面を上下しています。金縛りでしばらく動けません。もう一匹いないか、と周辺にも目をやりますがほかに見当たらず、その灯が消えぬようにと見つめます。淡くて憧れを呼び起こすようなサンクリの蛍火の歓迎です。

ほぼ一時間で着いた日本人宿「カサカサ」は思ったより明るくオープン・ムード。共用シャワーも清潔で壁一面の落書き風のアートが客を見つめています。まだ一カ月目という新管理人の新垣青年はうきうきした感じで部屋を案内、この宿の十数年の歴史も披露してくれました。その夜は幸いにも愛知県の三〇歳前後の女性客二人の提供食材で、三重県の中年と茨城県の青年客とともに会食となりました。食材提供と調理への返礼に皿洗いは私一人で受け持ちました。

## サパティスタの村へ

翌朝は寒さで目覚め。食堂には早朝チェックインの三〇歳代のカップル。挨拶を交わしたあと、男性が「このサンクリで関心があるのはサパティスタだけ」と断言。「今どき日本の若者が」と意外感、ただ「だけ」が耳に残ります。彼らの運動は差別撤廃と生活改善を掲げていて、その背景理解には街や人々の生活に触れることが不可欠です。運動は教科書ではなく一カ所にマニュアルが用意されているわけではありませんから、「だけ」が奇妙に響くのです。

その日、私一人で拠点の自治地区の村に出かけるつもりでした。しかしタクシー代の節約、また女性同行の方が、ジェンダー・バランスを意識する彼らの心証もよかろうとその新来客に声をかけます。街外れのタクシー乗り場で交渉し七六ペソでまとまり私が前席で二人が後部に。知識共有化のため私が運転手に質問、後ろへ伝える心づもりでした。

途中のチャムラ町まで二五分ほどで、政府側の検問所は意外にも一カ所だけ、ほぼフリーパスです。ただ、いやなことに雨が降り出しました。運転手のエムル氏は四〇歳くらい、鉤鼻で「マヤ人的風貌」です。

「ガソリン代はリッター一三・四ペソ（一〇七円）、毎月値上がりで大変。食料一般はさほどでもないが、肉類の値上げが激しいですね」で、彼からも質問。

「日本が独立したのはいつですか？」

さすがメキシコ人、今日九月一六日の独立記念日にぴったりです。

「現在も政治経済、特に外交軍事上は米国の強い影響下にあります」

初対面でもあり説明が長くなるので「半独立」とまでは言いきりません。後部シートの二人の反応が気になり振り返ると完全に夢の世界に。

「ブロック家が目立つけれど、レンガや日干しレンガはもう使わないのですか？」

「ブロック工場は多いし安いですから」

彼は地元の果物や食事などを話題にして一息ついたところで、「彼らの村への訪問者はどんな国の人が多いですか?」と尋ねます。「ヨーロッパ、アメリカ、中国、日本、そして中南米です」とよどみない返事。

「アメリカ」と「中国」にはやや驚きました。米国では市民運動が広範ですし中国は香港人と台湾人なのではと思われます。

道は尾根沿い、下方の雲海や森林の間から家々の屋根が見え隠れ、羊群をよく見かけます。

「ここでは主な仕事として羊毛でスカートなどつくります。黒色好みが多いです」

道の上り下りが繰り返され、ときに路面の凸凹で身体も上下揺れ。長い石段の教会と街を通り過ぎます。

「ここはどこですか?」

「ラライザルです」

九四年にサパティスタが武装蜂起したあと、政府軍がその報復として同軍の兵士と見なした住民数十人を虐殺した街です。エルム氏の故郷ですがこの事件に関わる発言はありません。

「人口はどのくらい?」

「バスタンテ（たくさん）。子どもが多いです」

山並みには松林が目立ち、遠くに湖が見えるところで急停車し、小屋風の売店で彼はミネラル・ウォーターを購入。

「あの湖の名は？」と聞くと、「名前がないです」と意外な答え。遠望でもはっきり見え、かなりの大きさ。似たような湖がいくつもあるのでしょうか。

「あの湖は汚染されていません。沸かせばそのまま水は飲めます」

住民にとり大切なのは、名称ではなく水が飲用可能かどうかということなのでしょう。

「二〇年前と比べ生活はどうです？」

「少々よくなりました。子どもたちが学校に通え職を得る機会も増えました。しかし経済的には厳しい状態が続き、仕事もまだ少なく物価が上がっても賃金はそのままです」

凸凹道で腰痛が出そうなころに、車は盆地状の一角に木造平屋が並ぶ緩い傾斜地に停止しました。

## 「ノ・セ（知りません）」

一時間一〇分、小降りの中サパティスタの最前線であるオアンテペック村に到着。後席の二人も夢から覚めて周囲を見回しています。村の周囲は簡単な鉄条網で防護されていますが山並みは遠く、あたりは開けて明るい雰囲気です。入口の検問小屋に座る黒覆面の男性に来訪の意図を教科書風に説明。「サパティスタの活動は重要だと考えます。活動を知り日本に伝えたいです」云々。彼は小走りで奥の木造平屋に消え二〇分ほど経過。すると今度は彼を含め三人の覆面男が出現します。一人が、「パスポートを。来訪は何回目ですか？ 目的は？」と事務的に口頭試問。

男らが旅券内容をメモし約一〇分、彼らは再び建屋に。まもなくやはり覆面の小柄な二人がやってきます。わずかにのぞく褐色の肌。案内係は声の調子から二〇代のうら若い女性と思われます。幸い雨雲が切れはじめます。

「人は決して撮影しないで」また「自動車の写真は撮らないで」と覆面を通し穏やかな声が返ってきます。そう言われると逆に日ごろは無関心な車が気になり、停車中の小型トラック数台をちらり。視線の先には日本のN社製ばかりがずらり。ふと、以前キューバのハバナの革命博物館で見た革命軍使用の日本のT社製のジープが浮かびます。周囲の草地上に木造やコンクリートの建屋が十数軒、その壁面には見事な壁画が、併記の標語もまた印象的でアート的。『思想における真理ほど効果的な武器は存在しない』。詩的な響きです。

畑では山羊が三頭草を食み羊は一頭だけ、でさっそく案内人に当たり障りのないところを尋ねます。

「来る途中の村々でよく羊を見かけましたが、もっと羊を飼わないのですか?」

「ノ・セ（知りません）」

そっけない限りです。

敷地内は人の姿が見えず実に静か。今年二〇一四年は武装蜂起二〇周年、メキシコ独立記念日前後にこの地を訪れる意味を重く考えた向きには意外なほどの静寂。この日に何か動きがあるのではとの予想が遠のきます。ただ彼らもメキシコ独立・革命には最大の敬意。むしろその精神が活かされない現状に異議を申し立てたのですから、この日に一般人と違った行動をすることに意義を認めないのかもしれません。

「ほとんど人がいないのは独立記念日だから?」

「ノ・セ」

二人は再び素っ気なく答えます。

「皆さんはここに住んでいるの？」

「近くの村から車で来ました」

「何分くらいの所？」

「ノ・セ」

再び「ノ・セ」女子に戻ります。

次に、小・中学校を案内、屋外バスケット・コート、ミニ・フットボール場も完備。教室では一〇人ほど欧米人らしい集団が英語で会議中ですがよく聞き取れません。それを横目で見ながら二人は案内を続けます。木造家屋の壁面の大絵画の作品の中にはツェルタル語（マヤ諸民族語のひとつ）つき絵画もあります。

「ここではツェルタル語も日常使いますか？」

「いいえ、使いません」

彼女たちは私たち三人のペースでゆっくりと約一時間半かけて案内。終える直前に、同行の日本人女性は私が遠慮した質問をずばり。その返答を聞きびっくり。彼女たちは「一五歳と一四歳」なのです。どうりで質問に「ノ・セ」が続くわけです。落ち着き堂々としていますが、もの恥ずかしそうなのも道理でしょう。早く年齢を知っておれば日本の中学生のことを話せたのに。

入口近くの売店では、手工芸品以外に彼らの活動の歴史的場面を編集したＤＶＤを何種類も販売。

世界に知られたチェ・ゲバラのイコン的な肖像のTシャツのほか、マルコス副司令官モデルもあるのは意外でした。彼らの運動はリーダーの神格化や英雄視から遠い距離にあるはずですが訪問者の購入希望が多いのでしょう。私は個人肖像のTシャツを買う習慣がないので、村の子どもたちが並んでいるものを購入。ちょうどそのとき先ほど教室で見た三〇代の長身の白人が食料品を買って戻るところに出会い、すぐに声をかけます。

「クラスにはどこの国からの参加者が多いのですか?」

「ほとんど米国からです。ただ一〇人のうち二人はプエルトリコ人とフアレス市（チワワ州）出身の在米メキシコ人です」

場所柄から秘密主義の御仁かと思ったら、かなり軽快な語り口。

「学習の目的は何で、どのくらい滞在しますか?」

「一学期分メキシコに滞在予定で、ここ同様にほかの州でも一カ月ずつです。テーマは『組織化について』」

シカゴからの来訪とのことで大学なり機関名はコメントがありません。急いでいる様子なので早々にお礼を言うと学校へ速足で下っていきました。ふと気がつくと、検問所近くの建屋のドアが開いて中から四〇代の男性の姿が。最初の覆面三人組の一人のようで一番ソフトな感じでしたが覆面を外しています。目と目が合い挨拶して近づき、「フクシマ原発事故のことを皆さんに少々お伝えしたいのですが」と聞いてみました。彼は「残念ですが見学者から話を聞いてはいけないことになっていて」と丁重に答えるのでした。

## 奇妙な既視感

さて帰路です。村は幹線道路沿い、ときどき車やコレクティボも来ますが客いっぱいで断られどおし。しばらくすると一見少年の運転する車が見え、走り出てすぐにとめます。助手席に弟を乗せた二〇歳前後のとても若い兄弟。弟は膝上に都市計画らしい模型を大切にかかえています。

「自分でつくったの？」

「ええ、私は建築科の学生です」

この一見したところ自家用車が実はタクシー。兄が運転手で弟は下校途上の兄弟愛。客を送ったあとの相乗りか、少々値切れるな、と情け容赦ない小悪魔のささやき。しかしこの兄は大変なしっかり者で言い値は見事に往路と同額、一歩も譲りません。タクシー組合か業者がしっかりと価格管理している証しです。地元の若者と話す機会ができるし次の車がいつ来るか予測不能なので、ＯＫします。連れのカップルは値交渉を私に任せっきりで周辺での写真撮影にただ夢中。

道路沿い看板の『ここでは人々が命令する。そして政府が従うのである』を背に車は村を離れます。しかし、地元の若者と車中で語れるとの思惑は見事外れ。というのも、この腕利き運転手、若さに任せて飛ばしに飛ばす。ジグザグの上に傾斜路が多く、高速で発する轟音とブレーキ音で話す余裕もまったくなし。往路より一〇分以上早い帰着でしたが、私は事故不安の緊張で疲労困憊、後部の二人は車酔いでへたり込んでいました。

二人とホテルへ戻る途上、男性の方が村での見学への不満を述べたてます。彼は父親が大学教員で小さいころからその本棚の本を読みあさったそうです。日本社会や教育に大いに疑問を感じ高校も自らの意志で中退、考えようによっては猛者でしょう。

「彼らが世界との連帯を求めるなら、もっとオープンにし講座も増やすべきだ。案内の子は丁重だったけど質問に答えられないし時間を有効に使えなかった」

言い分には一理あります。ただ、彼らが政府と対話路線に変わったといっても急に軍事侵攻されるかもしれず、最大限の警戒をするのは当然。青年にそう慰めたのですが納得してないようでした。そして当初言っていたとおり二人は翌日すぐに隣国グアテマラへ。運動の意義を認めつつもほかに何も見ないのは惜しい、もっと話すべきだったかもしれません。暮らしを知り交流することが旅の醍醐味なのでやはり残念なのでした。

当地については事前に多少調べていたので覆面少女の案内以外はほぼ予想どおり。既視感イメージ先行でかえって現実味に乏しく奇妙な印象が残りました。独立記念日に祝典も抗議もなく実に静かで平穏だったこと。ただそれは平和でシンプルな日常生活に勝るものはないと教えているようでもありました。

独立記念日の夜、サンクリの街を見に出かけます。にぎわいの感知か花火への反応か街の各所からの犬の遠吠えのような騒ぎ声。散策では街の石畳の美しさは心を鼓舞しますが、細い道を走る車の多さと不完全燃焼の臭気で意気消沈。

丘上の教会前には高さ約三〇メートルのジグザグ石段、ゆっくりと上ります。丘からの夜景を期待しましたが一面に樹木、街の灯がその間から少々のぞき広い敷地に数人の家族連れとカップルがいるだけ。教会の奥の広場は建築に匹敵する高さで巨大なメキシコ国旗が翩翻と風にゆれています。大広場には国旗が教会に対面していることが多いですが、その構図自体が歴史の象徴といえます。スペイン侵入後、植民地支配を支えた教会は大地主で搾取階級でした。メキシコ革命はそれに対する闘争でもあり、教会権力を国家権力に介入させないことが重要な課題となります。教会に面して翻る巨大国旗は「メキシコ人」意識の高揚と同時に教会を監視し対峙してもいるのです。

丘から下り街中心へ歩を進めます。子どもの圧倒的存在が日本と決定的な違い。多い上に商いの手伝いや靴磨きなどと大活躍です。ただ、子どもたちはその細腕で家族と家計を支えており、本心は学習や遊びで充分に時間を使いたいはず。また、中には家族自営であっても半強制の児童労働として酷使のことも多く、国際基準からも見逃せないケースも含まれているはずです。ただ商売を離れ夜八時なのに、中心路を六、七歳ぐらいの女の子が二人だけでうれしそうに堂々と話しながら闊歩していく姿も見られます。

大広場はテント露店であふれ、過剰照明で白昼の明るさ。身体以上の毛布やマントを背負ったりかかえたり、先住民族の女性たちが行き交います。通りの固定店舗前で四〇人ほどの中年女性の売り子と店主と集団交渉場面も。売上金の分担かショバ代か、殺気こそないもののその真剣な表情で生活がかかっていることが直感できます。ひととおり歩き終え「カサカサ」宿へ戻り、約束どおり日本人客数人へフクシマの現状の語り部に。茨城からの長期滞在の青年は「家が東海原発から近いので」と真剣な表情。ただ、宿管理人の新垣青年の感想は「話が難しく三割の理解」で説明の工夫を考えさせられました。

## 太鼓叩きと靴磨き

翌日も街歩き。「カサカサ」横には幅二、三メートルの小川があって、郊外からの細い路をつなぐコンクリートの小橋がかかっています。周辺をモンシロチョウが舞い、川辺の金網には朝顔のにぎわい。通勤通学の人々の中に巨軀の若き母、左胸を出し子どもに乳を与えながらの威風堂々たるものです。下流に行くと浅い川底の縁に朱色の帯状物が沈殿、糸ミミズの群生かと見据えます。橋上から同様に川面を見ている白人系の老婦人とメスティーソ系の中年女性に「なぜ赤いの？」と質問。

「女性が死んだのです」とまったく予期せぬ返答。

「なぜ⁉」

「暴力ですよ」

「家族によって？」

「そうです」

にわかには信じられません。川に死体が？　常識的には川へ流れた血は数時間で消えるし血痕は川底に朱くとどまりません。貧困と関係し家庭内暴力が多い？　川で赤いモノを見るとＤＶを連想する人がいる？　日本でもＤＶは大問題で自治体でもシェルターづくりをしていますが、川底の朱色からＤＶを連想するでしょうか。

歩行者天国になんと旧知の日本人青年！　氏名はすでに忘却のかなたですが、確か四、五年前に千葉県南房総の鴨川自然王国で会ったはず。彼は自作の小型紙芝居を持ち日本各地で主に子どもたちに原発廃止、環境やエネルギー問題を話して歩いていました。今回は大通りの歩道ベンチに座り、行き交う地元民やツーリストを前に悠々とジュンベ（太鼓）を叩いています。「やあ、元気でしたか。しばらく」と声かけ。「やあ」と彼もとてもうれしそう。さっそく、ベンチに並んで長旅談議。

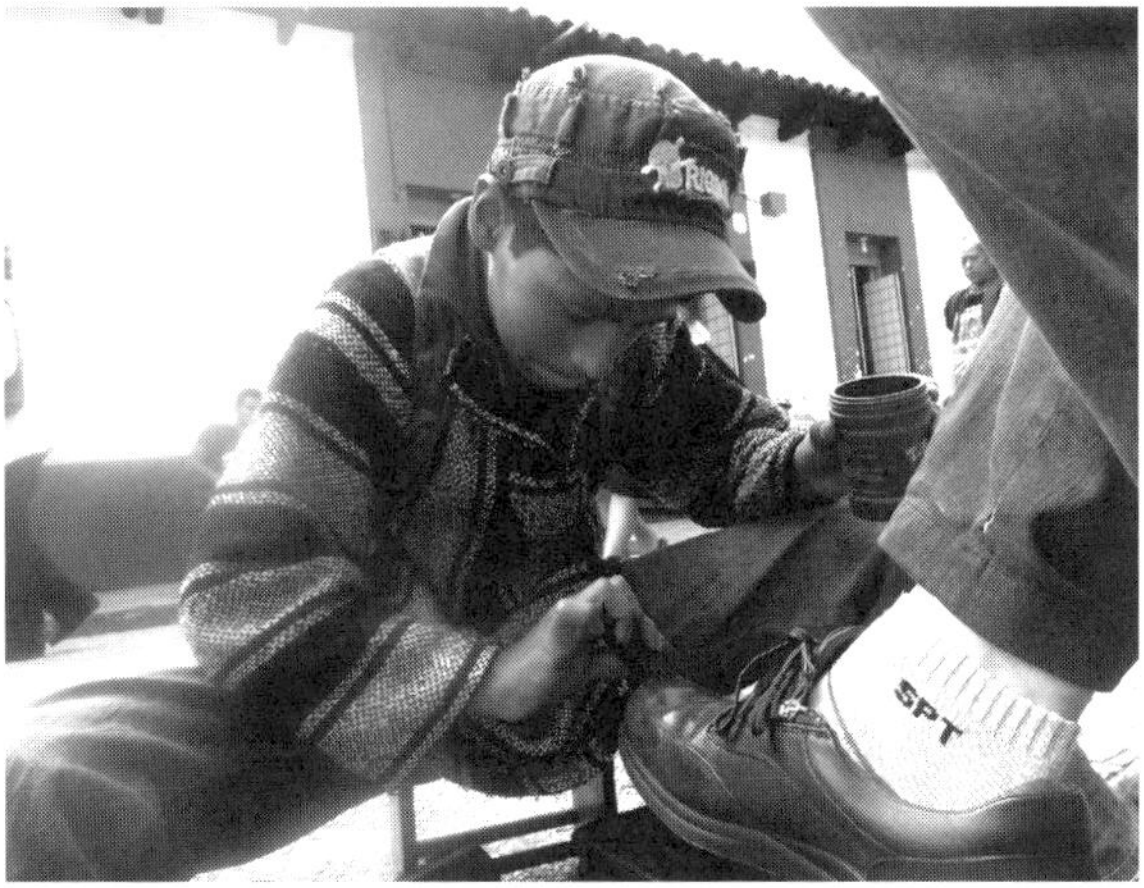

真剣な表情で仕事する少年（チアパス州サンクリ市）

まもなく靴磨きの少年が用具箱をかかえ注文を取りに来ました。今回のメキシコ滞在では一度も頼んでいなかったし、少年と話したくて四月以来手入れなしでくすんだ靴の世話をお願いしました。

「一一歳、学校には通っている」。ダヴィド君は作業中ニコリともせず、真剣な目線は靴のみに向けられます。先住民族の町チャムラ町出身のこの少年の仕事熱心ぶりはなかなかのもので表情を緩めず靴磨きを終えました。スペイン人の侵略に最後まで抵抗を続けた不屈のチャムラ人魂の一端を見る思いでした。その間、横で太鼓を叩く青年から当地の滞在先のメモをもらい夜に訪ねることにします。記された「石川」という名がなんとなく記憶と違うようですが鴨川では確か愛称呼びでした。

少々歩いた先では少年が四、五人道路端でかがみ込み「密談」中。手持ちの小道具は全員が靴磨き用。稼ぎ額比べでなく遊びの話のようでダヴィド君の姿もありましたが、やはり笑顔なし。ただリラックスした穏やかな表情を見せていました。

## 手づくり博物館

その後、中心地からはやや離れた「マヤ医薬博物館」に向かいます。川向こうは最近広がった住宅地のようで、木材置き場の先に小さな家々がのぞいています。木造小屋風の家並みで旧市街周辺とは異質の生活空間です。半舗装の大通り沿いに床屋、家具屋、果物店、金具店、修理一般請負店、ガラス屋などが板敷の上に、ほとんどが木製建屋で仮設バラックのような隊列。床屋の同業店が何軒も続くのでよく競合しないものと感心しきりです。その雰囲気は隣国の「西部劇」、砂塵煙る即製開拓地で全体がまるで映画のセットのよう。その先の博物館に着き、入口から見渡せば小さい丸石が敷地いっぱい。草地上の数棟の建屋はレンガ平屋できわめて簡素、手で埋め込まれたらしい石敷き広場には情がこもり創立者らの熱い思いが感じられます。案内板の説明には「一九九七年、先住民族の伝統薬草に関係するＮＧＯなどのメンバー八二五人が、一一自治体の三八コミュニティと連携し博物館を開設」とあります。マヤ諸民族の中でツォツィル人とツェルタル人が中心のようです。「このあたりは雨と聖木を大切にする土地」という説明文のあとに「スペイン侵入以前から雨を十字架のシンボルで表現」という記述に目がとまります。十字はまた「東西南北」四方位と同時にそれぞれ「赤黒黄白」四色と対応。北部のタラウマラ民族でも十字は四方位を象徴、広範な共通認識なのでしょう。ふと気づいたのですが、降る雨を見上げると雨粒を真ん中に四方位八方位が見えてきます。青空を仰ぐだけでは天地の「東西南北」を意識しにくいですが、雨の一雫の存在で位置が意識され方位も認識されるように思えます。

草の香りが博物館一帯にこもり何か食欲が湧きそうです。受付の入館者記名帳をめくると、相当数の日本人がこの地を訪れているはずですが一カ月前まで日本人名は見当たりません。シャイなのか単に面倒くさいからか？　あるいは「個人情報保護法」後、妙な誤解による「氏名表示過敏症」の影響かと詮索してしまいます。

最初の展示室では伝統的な出産シーン。呪術師を兼ねる助産婦の役割が実写ビデオでリアルに上映されます。出産は座位か跪座で夫と妻は両方とも跪く形で向かい合い、夫が妻を抱きかかえ支えます。嬰児はまさにその間に生まれ落ち、受け手役とはいえ夫の役割はとても重要です。出産での両親の共同作業はラマーズ法のイメージを超えています。横の助産婦は悪魔が入らぬよう二人の腰を覆う毛布の下からまず新生児の取り出し。すぐにその鼻と口をよく洗い、へその緒を切り糸で結び、胎盤は土に埋め母親の胸をよく消毒します。それにしても展示の冒頭に出産シーンを見せるのはなかなかのアイデア。先住民族における家族の重要性、特に男女の象徴的な協力の姿を若い世代にも知ってほしいという、企画者の思いを込めているようです。それは同時に、未婚者と子どものいない家庭の激増の「先進」工業国（現在、メキシコもその途上ですが）の人々への問いかけなのでしょう。

次が伝統薬用動物と鉱物の実物と写真展示コーナーです。動物だけでも実に多彩な利用で、ハチドリ、蜂、スカンク、コンドル、アルマジロ、リス、ヘビ、黒ニワトリ等々がオンパレード。使う部位もまたいろいろで肉、骨、頭部、尿、甲羅などで、ちなみに「スカンクの尿」はリューマチ用。リューマチの辛さに比べれば、薬効があればスカンクだろうと「屁とも思わぬ」のでしょう。それに「気体」の方は鼻つまみでも、「液体」は意外に芳香かも。薬用動物の効用にはリューマチ向けが多く、日本列島に住む者としては「同病相憐れむ」の感を禁じえません。「リューマチ」の頻出で高湿多雨地帯の生活者同士の共通の悩みを知り、この土地が急に身近に感じられるのでした。

その隣の薬草工房には次の表示板が。

『健康、予防、共同体、自治、環境』、そしてそのあとの言葉が効いています。

『新自由主義に抵抗して生き、学び、組織するために』と、現実の問題と世界史の中での伝統的薬物を関連づけてこの事業を維持していることがこの一言でわかります。帰り際、これを思い浮かべつつ受付の四〇代の知的な男性に「一般人の努力による設立と運営ですね？」と声をかけます。彼は「政府からは一切の補助も受けていません」とうれしげでした。

その後、先に石川氏から「今夕、大道芸演奏をする」と聞いていた街角を数カ所回ってみたりしたのですが姿が見当たらず。そこで先に担当者が不在だった先住民族開発全国委員会《CDI》のサンクリ支部を再訪、老司書はすぐに推薦図書を机へ持参。チャムラ町の記述が詳しく、素人でもすぐ判別できるくらい五、六ある文化圏ごとに服装と帽子のデザインなどが違います。サパティスタの運動への距離も各地域で微妙に違うと聞いていましたが、こうした多様さからもそれが推量できました。

チャムラでは他地方と違い先住民族系の氏名が数種ですが残されているのが独特です。氏名の存廃は文化上重要で、日本が植民地下の朝鮮民族に「創氏改名」で日本姓に強制変更させたのは愚策として知られています。世界では移住などに伴い、元の姓をその土地の一般姓名に変えるのはふつうです。アイヌ民族の場合、戦後、民族意識の高い人々の間ではアイヌ語系氏名が復活していますが、まだ偏見が残るため一部の人にとどまっています。その点、スペインの圧倒的支配の下、一部でもマヤ語の人名（厳密にはツォツィル語名）が残ったことは貴重でしょう。

先住民族開発全国委員会《CDI》支部前の自家製のパン屋で、若い女性店員に「ツォツィル語できますか？」と尋ねてみます。

「私たちの家族は祖父母の代に近郊からここへ移住、私はスペイン語しかできません。ただ、今も山にはスペイン語のわからない人も多く、ここでも少数ですがいます」との返答、北のタラウマラ民族とよく似た状況です。

## サンクリの人となる

約束の時間ちょうどにカフェへ、先に、農さんが紹介してくれたイトウ氏はややあとの到着。急な面談依頼にまずお礼を伝えメキシコの縁から尋ねます。一九八〇年にＪＩＣＡ専門家として鉱業関係の技術協力に携わったことがそもそものはじまり。任期終了後も続けて滞在し関連の仕事を十数年、また官庁の貧困対策機関の職員としても勤務。夫人はメキシコ人でチアパスに移住し一四年です。現在は年金生活で先住民族栽培のコーヒーやハーブを同国各地の日本人会員約三〇〇軒にボランティアで販売協力しています。いきなり一番聞きたかったことから。

「サパティスタ運動をどう思いますか？」に、同氏は歴史的に順序だてて説明。

「反政府運動で学生や市民が公権力によって大量殺傷された一九六八年のトラテロルコ事件*以降、活動家学生は大きく三つの流れに分かれ、ひとつは共産主義運動で地下活動へ、次が柔軟路線に変更して懐柔策をとる政権側に、大臣になったのもいます。第三が一般市民の生活を選んだグループです。第一グループの一部がチアパス州先住民族の人権擁護、生活改善要求運動などに参加しサパティスタの源流となります。この闘争で優れた点は『解放の神学**』の神父たちと連携し活動展開したこと。神父にも共産主義者がいて、この連携があったからこそチアパスの運動はコロンビア化を免れたのです」

「コロンビア化？」

「そうです。先住民族や貧困層の権利獲得運動がコロンビアではマフィアと結びつき泥沼化。しかし、メキシコでは解放の神学との連携でマフィアが入り込む余地を避けえたのです」

「政権内部に入った人たちはどういう動きを？」

「当時の政権党の制度的革命党（ＰＲＩ）は日本の自民党長期政権よりも長く続き実際には独裁的。同党はメキシコ革命の中心勢力の労農同盟から発展、それまで人々を支配した大地主や大資本家が背景だった独裁政権を打倒しました。そして一見社会主義的な政策を打ち出しました。その例が外国資本支配の石油利権の国有化で石油公社《PEMEX》設立、また電力公社《CFE》も発電・送電を全面管理。米国の圧力で民営化が進み出す一九八〇年代前半までは基本的に大組織は国営でした」

「制度的革命党《PRI》への対抗勢力の動きは?」

「PAN(国民行動党)ですが支えるのは反革命的なグループやカトリック教徒などで、しかも新自由主義に共感を持っている人々です」

「それでは、制度的革命党《PRI》よりもっと米国との関係が強いのでは?」

「日本と似ているとも言えます。そのため、両方に賛同できない人たちは制度的革命党《PRI》から離反した民主革命党(PRD)を支持。全国的な広がりはまだですが、首都メキシコ市市長は民主革命党《PRD》が何回も続けています⁂」

「北米自由貿易協定《NAFTA》以降この二〇年の生活の変化は?」

「全体として生活レベルは上がっています。ただ一方で貧困化も進行しインテリや左派は『二極化』と評価。この周辺の村々でも電気が通り道路は舗装されブロック家も増加。サパティスタ対策で全国の先住民族予算の八〇%をチアパス州で使っているから、という声もあります」

「先住民族の生活はどうでしょう?」

「『先住民族=善』とか『先住民族=貧しい』と考えるのは外からの目です。先住民族でも貧富の差が生じ一部は富裕階層で特権化。一九五〇年代の国立先住民庁《INI》の政策は先住民族主義《インディヘニスモ》に走りすぎました。メスティーソをいくつかの商売からを閉め出し先住民族独占したり、コーラ製造販売などについては歴史学者の清水透氏らが調査しよく知られています。ビジネスを通じての先住民族を取り込むテクニックはこうです。

まず、コーラ販売権をごく一部の先住民族に付与。特権意識植えつけの心理作戦です。人々がコーラを生活の中に浸透させたころを見計らい一気に特権廃止、一般ビジネス化し売り上げ競争強化。その結果としてコーラの浸透ぶりは徹底しており、研究対象にもなりましたがチャムラ町の一部では『神の水』扱いで儀式にさえ使われます。ここでもビン詰工場ができ販売で富を手にした先住民族は『コーラ御殿』住まいです」（参考『エル・チチョンの怒り』清水透著）

「最低賃金法もありますが先住民族やチアパスでの貧困状況は？」

「企業は同法を逆に『これだけ払ってやれば充分、それ以上は不要』と悪用しています。ただ貧困といってもアフリカなどの状況とはかなり違います。チアパスではトウモロコシや豆類はよくでき、それを元手に鶏も飼えます。うまく循環させれば、三大栄養素の補給はできて現金なしに生きることができるのです」

「チアパスは日本人の米大陸最初の移住地ですが、現在の日系人・日本人の活動はどうでしょう？」

「日系人会は日本政府からの叙勲を巡り三分裂状態で、一時は暴力事件寸前にまでこじれました」

「叙勲候補の内示」リークで選考枠から漏れた「心待ち組」の不満は募るのでしょう。分裂状態はその象徴的な出来事。責められるべきは明瞭な客観基準のない叙勲制度であって日系人ばかりを責められません。文化・福祉・教育関連以外の政治や企業活動関連での叙勲はときの政治権力と関係が強く、選定の中立性維持がうさんくさい代物です。

ただ、イトウさんは続けてフォローも忘れません。

「ここの日系人には誇りもあります。内村鑑三につながる無教会派の移民グループは二〇世紀初めのメキシコ革命時、革命政権側につきました。革命後、各国政府や多くの移民団体は新政権へ損害賠償を請求しました。ただチアパスの日系人は請求を放棄し、その後も同国発展に尽力を続けます。第二次大戦中、敵国側とされた在墨日系人は強制収容や集住を強いられました。しかし、こうした歴史的背景もあってチアパスではいったん収容されたものの直後に解放されたのです」

最後に彼は日本人宿「カサカサ」小咄を披露します。

「管理人不在で閉めると聞いたけれど、まだ続いていますか？ 宿をはじめた笠原さんはサパティスタ蜂起に痛く感動、ここに日本からの支援の拠点づくりを目指したのです。彼は日本大学で学生運動に参加、日本で変革をなしえず世界に革命を求めたのです。〇五年に病死、私がその最期の一週間を看取りました。遺族の連絡先がつかめずこの地に埋葬しました。連絡先を探し続け何とか妻子につながり、死後二カ月目に夫人だけ来訪されました。ただ笠原さんはほとんどサパティスタとの接点がなかったです。大病院の経営者の長男で跡継ぎ期待への反発も強烈でした。ひとつの人生の軌跡が透けてきますすね」

彼の他界後、カサカサの管理人は七、八人交替、新垣氏も「ここに長くはいない」と言っていました。亡き笠原さんは理想主義的で世界革命の観念世界に浸っていたようです。ただ、それでも十数年間、財布は軽いが「思いは重い」夢追い人たちに宿を提供してきた意味は充分あったのでしょう。お誘いした会合なのに、イトウ氏は別れ際、「今回、自宅にもお招きできず、せめて」と共同経営のその喫茶店の有機栽培のハーブ茶二杯分の代金を求めないのでした。

＊トラテロルコ事件　公的には長年タブー視され近年語られはじめました。目撃情報を網羅した『トラテロルコの夜――メキシコの一九六八年』（エレナ・ポニアトウスカ、北條ゆかり訳、藤原書店、二〇〇五年刊）ご参照。

＊＊解放の神学　ラテンアメリカ各地で二〇世紀末から影響力を持つ神父らのグループ。キリスト教の教条主義的解釈ではなくて、貧困階層や差別・迫害されている人々の立場で活動をしています。カトリック本部の教皇庁内や教皇によっては反対も根強いです。各地で共産主義者とも連携した活動を展開し今も影響力を維持しています。

＊＊＊ＰＲＤ（民主革命党）　二〇一八年の選挙で初めて、元この政党に所属していた人物が大統領に選出されました。

## アーティストに送られて

翌朝、部屋をノックする音が、なんと石川氏です。「メキシコ人親子のギター弾きと朝七時から広場で一緒に演奏するはずなのですが、一時間以上待たされて。で、ご挨拶とここの様子を見たくてやって来ました」

先に会ったとき彼に新垣氏の路上演奏や旅暮らしを話したので会いたかったのでしょう。二人はすでに朝、顔合わせ済み。高塀で囲まれた裏庭の一角で太鼓と「身体楽器」が踊りを交え演奏をはじめます。「身体楽器」というのは私の勝手な造語でどうやらビートボックスというらしいです。身体の各部分を楽器にして音楽を奏でます。頬を膨らまして叩いたり身体の至るところを打ち、忙しくてとても体力を使う演奏法。彼はこの「楽器」のＣＤも制作、一枚購入しました。「身体楽器」と太鼓リズムはよく合い、とても初共演とは思えません。そして、その音楽に送られてカサカサに別れを告げます。きゃしゃな石川氏、筋肉質の新垣氏と握手、その手は二人とも肉体労働者のように厚いのでした。

コレクティボをコルソ市郊外で下車、タクシーを飛ばしてギリギリ到着の空港では予定便が「一時間遅れ」の表示。チップをはずんだのに無駄だったと思った直後に小さな幸運に気づきます。フライト出発は日没直前、しかもその方向は北西。入り日に向かうのです。全生命を生み出した至高の存在たる太陽を追うのはいつも高揚感を禁じえません。

離陸すると予想どおり色とりどりの夕暮れで下界と天上界での全方位演出。日輪が湖沼群に反射しそれぞれ湖沼の中で二つ三つに割れる現象とも遭遇。河川も蛇行に次ぐ蛇行、三日月湖があれば、島を含んだ二重丸の湖、またそれらがいくつも連続した姉妹のような湖沼群、巴形湖と円錐湖と雨滴湖、そしてそれらの周辺では波打つ雲海に凸凹雲野、ひろびろ雲原とそよぐ雲林が一大ページェント。

隣席の中年男性の乗客も同じように熱心に私の肩越しに窓から下方をのぞき込み、それがきっかけで会話がはじまります。四〇歳前後のメスティーソっぽい物静かな人です。

「チャムラ出身のツォツィル人です。仕事はフリーカメラマン。今回はモンテレー市へ取材で」と自己紹介。「あなたのチアパス再訪の参考に」と住所とサンクリから故郷の自宅までの略図を私のメモ帳に心を込めて記してくれます。

「仕事でいろんな所に出かけられていいですね」

「それが楽しくてこの仕事をしています」

「全国を回るのですか?」

「そうです」

「この二〇年間の生活の変化は?」と、やはりつい聞いてみたくなります。やりがいのありそうな彼の仕事内容から現状への評価が高いと思っていました。返答はやや意外で「あまりいいとは言えません。いい意味での伝統的生活がなくなってきているからです」と、終始明るい表情の彼は深刻ぶらずにそう語るのでした。

やがて、機体はゆっくりとメキシコの名峰、ポポとイスタの上空を通過します。打ち震える一瞬、夕日を浴び神々しさもひときわです。着陸直後、機内の窓越しに双峰が茜色に染まって空港の敷地の先に浮かび、なかなか席を立てません。

国内便に乗り換える彼とはここでお別れ。夜のとばりは早足でやってきていましたが、今から日本語学校へ教材を取りに行かなければなりません。二時間ほどの短いお付き合いでしたがカルロスさん、「コラバル!(アリガトウ・ツォツィル語)」。

第五章

# メキシコへ、メキシコから

――サボテン針で治療する施術者（メキシコ市・国立人類学博物館）

スペイン侵攻以前の中世文明の基礎をつくったアステカ人の歴史はまさに移動史。北の発祥地から南下途上、他民族から迫害や差別を受ける中で団結を固め強大化しました。

## メキシコの二大問題

プエブラ州政府職員の旧友に「メキシコの最大問題は?」と聞くと彼女はズバリこう答えます。「一番目はメキシコ人が海外に大量に移住すること」。すぐに続けて、「そして、二番目はメキシコに海外から多くの人が移住してくること」でした。

思い返せば、三五年前もプエブラ自治大学《旧UAP》で出会ったのがニカラグア内戦から避難した留学生。また、チリのアジェンデ社会主義政権のブレーンだったため軍事政権の弾圧を逃れた政治学者ともメキシコ大学院大学《コレヒオ・デ・メヒコ》で知り合いました。ただ、現在の状況は内戦や亡命とはかなり違っています。中南米から大量の集団が北上し国境を越えて入国。移動手段は通称「家畜列車」、劣悪な詰め込みや脱線転覆事故でときには多くの死傷者が発生、テレビニュースでも報道されています。メキシコの諸団体や国際機関が援助活動中ですが、難民をだましわずかな持ち金をも奪う連中もあとを絶ちません。彼らはいわゆる政治難民とみなされず、また難民か移住民かの境界も引きにくく対応は困難。そして、最終目的地はメキシコでなく米国、メキシコの街角の物乞い人や路上生活者にもかなり多いそうです。同じスペイン語圏であり言葉の壁はないのですが、アクセントなどで地元民でないことはすぐわかるのです。

メキシコは想像される以上の移民受入国です。しかし、先住民族とメスティーソの人口が膨大で、他国に比べ相対的に移民の存在が目立ちません。実は多数を占めるメスティーソは先住民族の末裔であると同時に移民の子孫でもあります。彼らが日常的に自らの歴史の移動要素をどう意識しているか？　は以前からの関心ごとでした。二〇一四年五月下旬、首都中枢のソカロ大広場でFCA（友人たちの文化祭）という一大行事が開催されました。いわば「世界が友人」風の催しで、約八〇カ国の大型テントが並び文化や料理紹介などで大にぎわい。中央に準備された木造大舞台では舞踊イベントなどが、その床下の空間ではポスター類の展示。そのテーマはズバリ「人間と歩くこと」で老若男女が続々と見物です。

先住民族の移動史の展示に見入る人々（メキシコ市ソカロ大広場）

展示には「愛、そして生きるため原住地を捨て旅に出た」と詩的な表現。その後、最近に至るまで諸民族が世界中から移住してきた様子が描かれ、パネルには「それぞれの旅にはそれぞれの語るべき歴史が」とあります。日系人移民も紹介され「Y.Nakataniは一九三二年、大豆を加工『ニッポン・カカワテ（ピーナツ）』（豆菓子の一種）をつくった」と記述。この商品は今も多くの店頭で販売、最初に目にしたときは日本からの輸入品かと誤解しました。

展示は硬くて渋いテーマですが、参観者には親子連れや若者グループも大勢。すると突然後ろから声が。やや身構えましたが、優しそうな東アジア系の中年男性。米国国境に近いティファナの日系人で日本人の曾祖父は松本姓、ニッポンが大好きで二回も旅したこと、先祖はチアパスにいたこと等も披露してくれました。唐突だったためメルアドも聞き忘れ、このテーマが運んだ縁を逃したと悔しい思いがよぎるのでした。

## 主な一八集団

さて、世界各地からメキシコへの移住の流れはどうなっているのでしょうか。

太古、人類ははるか北方から実に長いときをかけ波状的に南へと拡散していきました。これが先住諸民族の祖先たちです。有史以降は、東や東南方の欧州発とアフリカ発で、やがて西のアジアから、そして今日、中南米から新移民たちがやってきています。

一六世紀以降しばらくは主な移住者はほぼスペイン人、一九世紀からは世界規模に広がります。一八二一年のメキシコ独立から一九九〇年までは以下一八集団が主な移住集団です。

欧州からの九集団（ドイツ人・イギリス人・スペイン人・亡命スペイン人・フランス人・ギリシア人・イタリア人・ポーランド人・ロシア人）、アメリカ大陸・カリブ地方からの三集団（中米人・キューバ人・アメリカ人）、アジア・中東・アフリカからの五集団（日本人・中国人・ユダヤ人・レバノン人・アフリカ人）、その他（メノナイト＝キリスト教アナバプテスト教徒）です。

私が技術協力団体の担当職員として日本で知り合ったメキシコ人の政府交換技術研修生数は、約一〇年間に二〇〇〇人ほど。そのうち、これら集団の二世三世で出会ったことがないのはキューバ系とアメリカ系とメノナイト系だけ。メノナイトはプロテスタント分派集団で主にチワワ州在住。近代科学文明を否定する傾向が強く文化的独自性を維持しています。

今日、米国との関係で「出国するメキシコ人」イメージが強いですが、現在も移民流入が続いていることは見過ごされがちです。意外に思えるアフリカ系はベラクルス州などのカリブ海側や太平洋側の南沿岸地方（ゲレーロ、オアハカ各州など）へ主に移住。実数が少なく先住民族やメスティーソの大海の中にとけ込んでゆきました（参考“*Extranjeros en México* (*1821-1990*)”; Bibliografía, INAH,1993『メキシコにおける外国人（1821-1990）文献集』）。

## 北の隣国へ

メキシコは米国から領土の約三分の一を割譲させられ、また軍事的にも脅かされ続けました。一時は首都も米軍支配下、歴史的背景は違うものの敗戦時の米軍の日本占領や現在の沖縄の米軍基地を想起させられます。他方で実に多くの人々が「不幸の一因」と想起するその超大国アメリカを目指しました。向かう先にはかつて奪われたメキシコ国土の一部も含まれ、親族らも定住。今世紀、米国での非欧系の最大民族集団はヒスパニック系がトップとなってアフリカ系を超え、この傾向は今後も続くと予測されています。三五年前と比べ米国移住者は増え、北米自由貿易協定《NAFTA》が国外移住減少を大きな目標としたのならばその失敗は明らかです。

一九〇〇年、メキシコ生まれの米国在住者は一〇万人ほど。その後七〇年に約八〇万人。ちょうど私の留学時の八〇年に一気に二二〇万人に激増しました。あとで紹介するインテリ老農民の「予言」を耳にしたのはこの時代です。その後は一〇年ごとに倍増で九〇年に四四〇万人、二〇〇〇年には八八〇万人、そして〇五年に一〇六〇万人を記録。見事にほぼ一〇〇年で一〇〇倍に到達。これはメキシコ人口の約一〇％で、そしてその九〇％以上は七〇年以降の出来事なのです。

加えて一世の移住前後に出生した子どもが八七〇万人、二世三世以降の世代が八八〇万人、それらを加算するとメキシコ系米国人は二八一〇万人と本国人口比で二五％強に及ぶのです。世界規模での移住者総人口は東南アジア在住の中国系（華人）が最大。ただ、中国の人口はメキシコや日本の一〇倍以上、本国人口比ではメキシコに遠く及びません。

もっと北への移住の流れもあります。カナダとメキシコは航空路で四、五時間の近さで、近年この地にもメキシコ人は展開中。旧友の一人もバンクーバー市のメキシコ人コミュニティの責任者。二〇一一年時点の在カナダメキシコ人とメキシコ系カナダ人は約九・六万人で日系カナダ人人口とほぼ同じ。この数字はカナダ総人口の〇・五％に満たず、在米メキシコ人が膨大なだけに意外な感じさえ受けます。ただこれは二〇〇一年の約三倍で二〇〇六年の一・五倍、今後、米国が移住制限強化に向かえば急増もありえます。一九七〇年代からの移住者の特色は教育レベルや社会的地位が高く合法的入国が多いことです。また、毎年の契約労働者の入国約五〇〇〇人は移住者とはみなされていません。

この章の最後に米国移住の話題に関連し思い出す古い経験をご紹介します。それは七〇代のメキシコ人農民から聞いた話です。一九七九年、留学先のプエブラ市で私はスポーツクラブで知り合った青年から「おもしろい友人を紹介したい」と車で三、四〇分の農村地帯の大きな平屋に案内されました。広い居間ではグランド・ピアノが迎え、博識な老人は衝撃的な一言を発したのです。

「アメリカはそのうちメキシコに戻ってくるよ」

一九世紀、米国により「割譲・買収・併合」されたメキシコの元国土を奪回する？　その過激な発言に驚き真意をすぐに確認しました。

すると「政治的ましてや軍事的意味ではありません。社会的、文化的な意味での話です」がその回答でした。

メキシコ人の米国移住は続き、やがて強力な影響力を持つとの予測です。先の統計のように一九八〇年前後でも二〇〇万人以上の移住者。ただ当時も移住制限は厳しく果たして将来、影響力を持つのだろうかと思い巡らした記憶があります。ただ老農民の自信に満ちた語り口は「もしかしたら」とも思わせるのでした。

この話をいろんな場でメキシコの友人に披露。「そのうちメキシコに」の一節では、彼らは一様にやや自嘲気味に苦笑「フフン」の反応です。エリート層には「地方の老人の戯言を」の感じなのです。しかし、「移住人口の増加で文化的影響力の拡大という意味での言及でしたが」と言うと友人らの反応が変化。老農民の指摘にほぼ反論は出ないのでした。

歴史は三五年を経て彼の「予言」どおりに進んでいます。もちろん今日でも米国全土でスペイン語が英語を凌駕する事態にはなっていません。ただ、南西部諸州では英語不用意でも生活が可能で、一時は公用語化の動きもありました。カトリック系文化から食文化まで浸出する「メキシコ」は、米国を少しずつ「取り戻している」のです。このことは、スペインでかつてあったイスラーム教の「サラセン帝国*」支配から七〇〇年のときのあと、その国土を回復（レコンキスタ・再征服）したことを思い起こさせます。近年はそうした意見もふつうに人口に膾炙しているようです。驚いたのは麻薬取引での米国侵出さえ「再征服」と見る傾向です（『メキシコ麻薬戦争』ヨアン・グリロ著、山本昭代訳、現代企画室参照）。麻薬は容認できませんが、一般人が直感するのは「アメリカ」からメキシコを取り戻す米大陸版の文化的「レコンキスタ（再征服）」かもしれません。ただ北米自由貿易協定《NAFTA》以降、米国文化も猛烈な勢いで当地を覆い相互浸透状態が現状なのでしょう。

三五年前に比して、今回の滞在では「グリンゴ」をほとんど耳にしませんでした。この言葉は、「グリーンズ（以前の米軍兵士の制服の色で、米国人を象徴）」と「ゴー・ホーム」の合成語からの発生とか、米国人を表す隠語です。今やいちいち「グリンゴ」と呼ぶほど少ない存在でなく来訪者が氾濫という側面がひとつ。もう一点はメキシコ人がアメリカにあふれてしまい、ほとんどの人が親族をそこにかかえる状況では「グリンゴ」はいかにもよそよそしいのでしょう。

両国の相互影響に類する意見は公的な立場からも発言されています。ルイス・カバーニャス駐日メキシコ大使（当時）は言語、食文化、生活スタイルまでメキシコの大都会での米国文化の浸透を認めつつ、米国の中でもメキシコ文化が大きく育ち、かつてメキシコ領だった米南部だけでなく全国的にもテレビでスペイン語放送があるなど、むしろメキシコの方が大きな影響力を及ぼしていると述べています。

＊サラセン帝国　西欧から見た中世イスラーム帝国の呼称。王朝は幾たびも分裂・交代し、八世紀以降に進出したイベリア半島でも同様。その最大の中心地コルドバはすでに一三世紀にはカスティーヤ（後にスペインの一部）に占領され、同半島におけるイスラーム勢力支配に陰りが見え出した。スペインが完全に「国土回復」したのは一四九二年で、奇しくもコロンブスの「アメリカ到達」の年でした。

## 「メキシコ、またね」のちょっと前に

メキシコを離れる一週間ほど前にメキシコ市で特にお世話になった人を招き、ささやかなお別れ会を持ちました。しかし、会食時間直前に先に自宅へ招待してくれたリベラ氏から電話。「すみません、行くことができなくなりました。妻とかわります」とかぼそい声。幼子たちの同伴に逡巡があったかもしれません。ほかの参加予定者の優しい人柄をよく伝え、また私の招待だともっとはっきり伝えておくべきでした。「レクチャーに感謝している」と最後に言い添えた彼の心遣いが身にしみました。

定刻ピタリにはじまった会は終始元研修生のグロリアさんのペースでほかの参加者は聞き手に回りました。「日本で学んだのは、技術のほかに人々の態度や行動基準」との印象深い一言。職場での職員の勤務態度を見て、彼女も毎日、始業時間の少し前に出勤し、訪問時は必ずアポを取る習慣がついたそうです。今回アポなしでいくつも大学訪問をしていた自分の肩身がやや狭くなるのでした。

話題が健康や食品に移り、多くの分野でいくつも資格を取っているルイス夫妻の博識ぶりには改め

て目を見張りました。彼らによれば同性愛増加と食生活は大いに関連。同性愛は動物でも自然状態で二％少々は存在するそうです。ところが各種のホルモン摂取過剰で比率が高まりメキシコの一部地方では人口比で三〇％、また牛乳や鶏肉食が多い地域で顕著との主張。近年ようやく、いわゆるLGBTの権利が世界各地で認められつつあります。とはいえまだまだ差別が残り公表しない人も多く、その実態把握は難しい状況です。いずれにしろ、権利そのものへの理解の広がりが権利獲得の拡大要因と考えるより、対象人口の増加が運動高揚の背景と考える人たちも少なくないようです。

また、日本でも知られる「牛乳論争」（「有益」、「無益で無害」、「有害」のどれか？）がメキシコにもあります。ルイス氏の結論は「もともと牛乳は人間用ではない」という説。ただチーズは「適量なら有益」だそうです。また「血液型論争」も日本の特技ではなくメキシコでも盛ん。しかも病気や食生活とも関連づけ、A型は「罹病しやすく」、B型は「牛乳の『害』を受けない」とか。病気の家族をかかえる参加者たちも私同様、参考情報はないかと聞き手に徹するのでした。

当初予定の二時間はアッという間に過ぎて、気づけば五時間近くに及んだのでした。

離墨直前に市の南北端を見ておきたいと思い立ちました。次回の再訪時に現在の街の変化を知るためには市の「辺境」確認が好都合です。そこで、市有数の幹線道路のインスルヘンテス大通りを南北に突っ切る連結車両で専用車線を走るメトロバスを走破することとしました。

南方終着のエル・カミネロ駅は窪地のため好展望は望めません。一方、北方面はやや登りで周辺に小丘が現れ、予想どおりの地形。博物館でよく見た、スペイン侵入後に埋め立てられた湖沼群の位置関係のイメージをつかめます。というのも小丘は古地図での湖沼群と陸地の境界、日本での縄文遺跡や貝塚と同様に足元に太古の水際があったからです。北端インディオス・ベルデス駅近くの陸橋から周辺を眺望。ターミナルにあふれるバス群、いくつもの小商店列、夕暮れの中多くの人々が行き交うのをしばらく見つめていました。

インスルヘンテス大通り北端のターミナル（メキシコ市）

南から北端まで全四五駅約一時間半、そこはメキシコ社会の一大縮図。超高級住宅地とデパート、レストラン、そしてあらゆる欲望を満たす店、店、店。余裕のある消費者には天国の道がメトロバス路線の両側に展開しています。そしてその北端のもっと先の別世界。そこは日本人宿で出会った清掃担当の中年婦人が住んでいる地域でもあります。自分にはその一帯を陸橋から遠望するしかできません。何年後か何十年後かにはこの一帯すべてに、水道・ガス・電気が来ているのでしょうか？　当地滞在中の半分近くをガスと電気なしで暮らしてきた一人の異邦人は、陸橋からゆっくりと夕焼けを望んだあと、雑踏を懸命に歩く人々の中に入り、その一人のように地下鉄に乗り込みました。

# エピローグ

本書を手に取っていただき、どうもありがとうございます。本書は必ずしも時系列的に記述されてはいないので、どの章から読んでいただいても結構だと思います。

今回の滞在中に知り合い、居住が四〇年近い元日本人の発言を第二章でご紹介しました。「短期間滞在し帰国、わかったように書く人がいるがわかっていない」と。この人の目に拙著がとまれば、同じことを言われそうです。もちろん、一、二年程度の滞在では誤解や思い込みが入りがちでしょう。ただ、長い居住が事実を伝えるとは一概に言えません。当地では経済的に余裕がある人には地下鉄や路線バス、長距離バスに未経験者も多いのです。帰国後、日本の友人たちから「各地を巡るのは誰もがやることではないので書き残したら」と勧められました。また「個性と個性の出会いを伝えてほしい」ともアドバイスを受けました。

長期滞在し老境へ入る在墨日本人は「不満はあろうともこの国で生活させていただいた。今後は恩返しをしたい」と述懐しています。起業し長年経営の個人会社を株式会社にしてメキシコ人に資本参加の機会をつくろうとする人。また別の人は盆栽や庭づくりの技術の普及をとそれぞれの恩返しを試行中です。双方の交流史著述を準備中の人もいます。本書もまた世界の人々と交流しようという若い人たちへのささやかな参考になれば、と思います。勘違いや誤解はぜひご指摘をいただければ幸いです。

実は一九九二年に職場の勤続二〇周年休暇を得て、二週間ほどメキシコの駆け足旅行をしたことがあります。ただ、そのときは三、四カ所で親しい人と会うだけで、街散策などの時間がほとんど取れませんでした。その点厳密には「三五年ぶり」の訪問でない場所もあり、この点はご理解いただければ幸いです。なお登場人物の一部に仮名が使われています。個人のプライバシー保護や公的な立場を考慮しこの点もご了承願います。また文中、同一人物で敬称がついたり、つかなかったりすることがあります。周知のように海外の多くの国では友人間では呼び捨てがふつうですが、私との関係性や距離感を読者の皆様に感じていただけるよう、工夫したつもりです。

帰国後一年ほどでまとめられれば、と思っていたのですが四年以上が経過しました。長大な元原稿の削り込みや構成などで現代書館編集部の吉田秀登さん、また校正や写真選定など細かな点で下河辺明子さんには大変お世話になりました。ＮＰＯや地域活動、ボランティアなどで、公共交通機関での移動中の推敲や入力作業も多く、毎日三〇分以上は机にと意思を固めつつもかなわぬ日も続きました。内容的にはきわめて個人的で雑然としていますが、メキシコについていくらかでも関心を高めてくだされば著者としては望外の喜びです。

末尾になりますが、出会ったすべての方々に心から感謝申し上げます。

二〇一九年一一月八日

小林孝信

**小林孝信**（こばやし・たかのぶ）
富山県に生まれる。（財）海外技術者研修協会（AOTS）元職員。松戸市民ネットワーク、PARC（アジア太平洋資料センター）、日墨交流会などの会員。
著書『民族の歴史を旅する――民族移動史ノート』（一九九二、新装版一九九六、明石書店）、『世界の小さな旅路より』（二〇〇一、現代書館）、『超エコ生活モード（SELM）』（二〇一一、コモンズ）。

メキシコ・地《ち》人《じん》巡《じゅん》礼《れい》

二〇二〇年二月十五日　第一版第一刷発行

著　者　小林孝信
発行者　菊地泰博
発行所　株式会社現代書館
東京都千代田区飯田橋三―二―五
郵便番号　102-0072
電　話　03（3221）1321
FAX　03（3262）5906
振　替　00120-3-83725
組　版　デザイン・編集室エディット
印刷所　平河工業社（本文）
東光印刷所（カバー）
製本所　積信堂
装　幀　奥富佳津枝

校正協力　高梨恵一
 Printed in Japan ISBN978-4-7684-5869-3
定価はカバーに表示してあります。乱丁・落丁本はおとりかえいたします。
http://www.gendaishokan.co.jp/



活字で利用できない方のための
テキストデータ請求券
『メキシコ・地人巡礼』